Sonya
ソーニャ文庫

償いの調べ

富樫聖夜

イースト・プレス

contents

プロローグ　償いの調べ

リーデンバーグ国ディーステル伯爵領の外れに古い女子修道院がある。アグネスという名の女性が開設したその修道院は本堂の中心に神と聖母を祭った礼拝堂があり、日々修道女たちが祈りを捧げていた。

けれど今、修道院には人が誰一人としていない。祈りを捧げているはずの修道女たちも神父も、修道院に併設されている孤児院の子供たちの姿もそこにはない。修道院は静寂《せいじゃく》に包まれていた。ただ一ヵ所――礼拝堂を除いては。

礼拝堂の祭壇前の床に、二人の若い男女が折り重なっていた。白い肌とまろやかな膨《ふく》らみを晒《さら》した女が、艶やかな褐色の髪を乱しながら、黒い上着をまとった男の上に馬乗りになって揺れている。

この男女が何をしているのかは、女の広がった白いスカートに隠されていても、そこから漏れる濡れた音と、女の桜色の唇から洩れる嬌声《きょうせい》で明らかだ。床には女の身から引きはがされたドロワーズが投げ捨てられている。

一見、女性上位で行われているように見える、その行為。――だが、主導権を握っているのは明らかに男の方だった。自分の上で腰を揺らす女を気まぐれに突き上げ、深く繋がった衝撃に悲鳴にも似た嬌声を上げるのを愉悦《ゆえつ》を含んだ目で見上げている。

礼拝堂のステンドグラスから漏れる柔らかな日の光が、女の嬌態《きょうたい》を美しくも妖しく浮かび上がらせていた。

「あ、んっ、んんっ、んんっ」

涙を流しながら小さく喘ぐ女の服は中途半端に引き下げられていて、白い肩と両方の膨らみが晒されている。女の身体が揺れるたび、そのまろやかな乳房がぷるんと扇情的《せんじょうてき》に揺れ、下にいる男の目を楽しませる。涙に濡れたその黒い瞳と、罪の意識と悦楽に歪んだその表情は、たとえようもない淫靡《いんび》な雰囲気を女に与えていた。

自分がどんな場所でどんな姿を晒しているのかをわかっているのか、女はそのさらけ出した白い肌を淡くピンクに染めている。だがその羞恥《しゅうち》に揺れる表情が、更に男を煽《あお》り立てていることには気づいていないようだった。

この女がひと月前まで神に仕える身であったと誰が思うだろうか。だが、知っている者が見れば、女が着ている白い服がこの修道院の見習いが着るものであると気づくだろう。男は礼拝堂という神聖な場所で、〝元〟が付くとはいえ神の花嫁たる女を犯していた。

……いや、犯しているというのは語弊《ごへい》があるだろう。女は自ら男を受け入れて動いているのだから。

だが、それは女の意思ではない。このひと月で散々馴らされた身体が否応なく反応してしまうのだ。

女は泣きながら喘ぎを漏らしながらつぶやく。

「……駄目……なのに、ここは、駄目なのに……！　止まらない……！　あ、あン、んんっ」

だがそう言いながら、腰は胎内《たいない》にみっちり埋まった男を堪能《たんのう》しようと動き続ける。無意識のうちに自分の感じる場所に男の太い先端が当たるように動いていた。

男が手を伸ばして、ぷっくりと立ち上がり扇情的に揺れている膨らみの先端をつまみ上げる。途端に女の身体がビクンと跳ねその口から甘い悲鳴が漏れた。胎内がきゅうと収縮して男を食い絞める。

「淫らな身体だな。ここがどういう場所か知っているだろうに」

男は胸の突起を指で弄《もてあそ》びながら女を言葉で嬲《なぶ》る。もちろん、繋がっている場所を責め立てるのも忘れない。小刻みに突き上げると、女の口から「んんっ」という籠《こも》った嬌声がこぼれた。

「これでわかっただろう。男を咥《くわ》えこんで悦《よろこ》んで腰を振る。そんな淫乱な身体を持つ君はもはや修道女でも神の花嫁でもない――私の女だ」

「あ、い、いやぁ……言わないで……っ」

女の眦《まなじり》から雫《しずく》がぽろぽろと流れ落ちる。けれど、身体は心を裏切り、蜜を溢れさせ、男を受け入れている場所は精を搾《しぼ》り取ろうと妖しく蠢《うごめ》く。いやらしい言葉で責められているのに感じているのだ。白いスカートで隠された結合部分からはぬちゃぬちゃと濡れた音が響いていた。

「……あ、ああっ。許して……神様……許してぇ……」

女は何度も繰り返す。けれど腰の動きは止まらない。神聖な場所を汚す背徳感にいつも以上に乱れていることを女自身も自覚していた。それが更に羞恥心と罪悪感を煽り、かえって女に淫艶《いんえん》さを与えていた。

そんな女を男は目で楽しみ、身体で堪能《たんのう》しながら更に責めたてた。ふるふると震える胸を下から掬《すく》い上げるように掴みながら激しく突き上げる。女の身体が弾み、その反動で更に深く結合する。

「ああっ」

「神に許しを得る必要はない。君は私のことだけ考えていればいい」

「や、あ、ああっ、んんっ。許し……て……」

「もう二度と私から逃げようだなんて思うな」

「あ、あ、あ、ああああっ！」

礼拝堂に嬌声を響かせながら女が達《たっ》する。繋がっている部分で男をぎゅうぎゅう引き絞りながら頭を反らしてのけぞる女を、男はなおも責めながら言った。

「それに言ったはずだ。私に償えと」

その途端に女の身体がビクンと揺れる。

「……償い」

か細い声が聞こえた。

「そうだ。私は君のせいで婚約者を失った。君にはその償いとして私の子供を産んでもらう。我がディーステル家を継ぐ子供、君のコリンソン家を継ぐ子供を」

女の身体が、絶頂に達しただけではない震えを帯びる。それには構わず男は続けた。

「私の子を孕《はら》め」

「……ああっ！」

突き上げられ、身体と息を弾ませながら女は涙を流す。

「……許して……許して……私は……」

「許しを乞う必要はない。君は私に従い、私の子を産めばいい。それが私に対する償いだ。……ほら、そろそろ君の中に出すぞ。しっかり受け止めろ。……神に見守られながらな」

「だ、ダメ！　……いっ、いやぁぁぁぁ！」

涙を散らしながらいやいやと顔を振る女の最奥を突き上げながら、男は嗤《わら》う。聖なる場所で女を汚すことにこの上ない悦びを感じていた。これが女に対して決定打となるとわかっていたからだ。

「……君は私のものだ」

壊して、めちゃめちゃにして、傍にとどめて、従属させたい。そんな仄暗《ほのぐら》い思いそのままに、男は女に劣情《れつじょう》を叩きつけた。

――やがて、礼拝堂に女の甲高い嬌声が響く。

けれど男の欲望は終わることなく、償いの調べはいつまでも続いていた――。

1　見習い修道女と辺境伯

髪を結い終えたシルフィスは、机の上の四角い鏡を覗き込んだ。

そこに映るのは、背中の中ほどまである、艶やかでやや癖のある褐色の髪をきっちり結い上げた、大きな黒曜石《こくようせき》のような瞳を持つ、十七、八のまだ若い美しい女性の姿。首元まである白い質素なワンピースを身に纏《まと》っていても豊かな曲線を描くその若々しい肢体《したい》は隠しようもないが、彼女にとっての関心は容姿ではなく、ベールを被ってもはみ出ないようにきちんと髪が結えているかの一点であった。

「大丈夫ね」

彼女はつぶやくと、白いベールを手に取り、髪が出ないように深く被った。

――今日もいつもと変わらない一日が始まる。

アグネス女子修道院の朝は早い。

まだ夜が明けきらぬうちに鐘の音と共に起床し、見習い用の白い修道服に着替えて礼拝所へ向かう。朝の礼拝のためだ。そしてその礼拝が終わると修道女たちはそれぞれ割り当てられた雑務に赴《おもむ》く。食事係は朝食の支度のために厨房へ向かい、菜園係は畑に朝の収穫をしに向かう。

シルフィスに割り当てられた仕事は修道院に併設されている孤児院の子供たちの世話だった。

「さぁ、みんな起きて」

「おはようございます。シスター」

「……まだ眠ぃ……」

目が覚めた瞬間から活動できる子もいれば、寝起きの悪い子供もいる。けれど寝起きは悪いがひとたび起きだせばあっという間に支度を終わらせる子もいて、この修道院に来るまでほとんど子供と接する機会のなかったシルフィスにとって様々な反応を示す彼らはいつも新鮮に映った。

「早く起きて支度をしなさい。祈禱《きとう》に遅刻すれば、それだけ朝食の時間が遅れますよ」

シルフィスと同じく子供たちの世話を担当するシスターが厳しい口調を装って言うと、寝起きの悪い子供たちも慌ててベッドから起き上がって支度を始めた。子供たちにとって食事はこの孤児院での生活の中で一番の楽しみなのだ。

自分ではまだ着替えられない小さな子供に服を着せながら、シルフィスはその様子に先輩のシスターと視線を合わせてふふっと笑い合った。

「シスター、支度できました！」

「私も」

「僕も！」

自分で服を着られる年齢の子供たちが得意そうな笑みを浮かべて口々に言う。

「それじゃあ、みんなで一緒に行きましょう。大きい子は小さい子の手を引いてあげてね」

シルフィスは子供たちに優しく微笑んで言った。

子供たちに「シスター」と呼ばれてはいるが、シルフィスは見習いであってまだ正式な修道女ではない。一年前に偶然この修道院に入ったばかりの、見習い中の見習いだ。だから子供たちの世話を一緒にしているシスターが深い紺の修道服と紺のベールを被っているのに対して、シルフィスは見習いであることを示す白い修道服と白いベールを被っていた。だけど子供たちにとっては、色は違ってもベールを被って自分たちの世話をしてくれる女性はみんな「シスター」なのだ。

先ほど着替えを手伝った小さな女の子が満面の笑みをシルフィスに向けて言った。

「ごはん、楽しみだねぇ、シスター」

「そうね。楽しみね」

シルフィスは笑ってそう答えると、その子の手を取って礼拝所に向かい歩き始めた。


修道院では朝・昼・晩の食事は祈禱の後に全員でとる習わしだ。ミサの後、修道女やその見習いたち、そして修道院で働く男たちが大食堂に集まってみんなで一緒に食べる。孤児院にいる子供たちも例外ではない。シルフィスは食事をとりながらも、子供たちがきちんと大人しく食べられているかどうか目を配った。

修道女たちはほとんど私語などせず静かに食事をするが、子供たちはそうはいかない。特に年端もいかない子供は、長い時間目の前の食事に集中することができずに、すぐにそわそわしだす。食器の音をうるさく立てる子もいる。けれど、そんな子供たちに修道女たちは驚くほど寛大だった。今も椅子から滑り降りて地面を這い出す男の子がいるが、誰も叱ったり苛立たしげな視線を向けることはない。むしろ微笑ましげに見守っていた。

だけどさすがにこれを放置するわけにはいかない。服が汚れてしまう。自給自足が原則の修道院では子供たちの服もみんな修道女が手ずからこしらえたものなのだ。椅子に戻さなければ。そう思ってシルフィスは立ち上がる。けれど、そこに声がかかった。

「シルフィス、いいのですよ」

修道院長のマザー・ニコールだった。初老の穏やかな気質の女性で、シルフィスが第二の母のように思っている人物だ。少し離れた席に座っていた彼女は優しく微笑んで、立ち上がったシルフィスに言った。

「好きなようにさせてあげなさい。それに大丈夫、子供は案外周りが見えているものなのですよ」

その言葉を受けて子供に視線を戻してみれば、床を這っている男の子の隣に座っていた女の子——こちらはもう少し年齢が上の子だ——がその子に声をかけている。すると何を言われたのかその男の子は床を這うのをやめて自分から椅子によじ登って席に戻っていった。そして大人しくスプーンを手に取って食事を再開する。

シルフィスは修道院長に視線を戻して、目じりにしわを寄せて微笑む彼女に同じように笑みを返すと、静かに着席した。

修道女たちは子供たちに何かを強制したりしない。無理やり躾《しつ》けることもない。けれど子供たちは長ずるにつれ、共同生活を通じてここがどういう場所なのか、どう振る舞うべきなのかを修道女たちを見て覚えていく。そしてそれを実践していくようになる。そんな大きい子たちを見て、もっと下の年齢の子供たちがそれに倣《なら》って学んでいく。そういうふうになっているのだ、ここは。

そしてそんなおおらかなところだからこそ、自分のように身元も明かそうとしない、いかにも訳ありの女を温かく受け入れてくれたのだ。

彼女たちや子供たちのおかげで、シルフィスは生きる意味を見出せた。神に仕え、自分の一生をかけて贖罪をし、両親や姉の安らかな眠りを祈って生きていこうと思えるようになったのだ。

すべてを捨ててしまったシルフィスにとってこの修道院は大切な家であり、修道女たちや孤児院の子供たちは大切な家族だった。

——だが今、その大切なアグネス修道院は厳しい状況に晒されている。

シルフィスは食堂の壁に目を向けてきゅっと口を結んだ。壁の一角が崩れて中の土がむき出しになっているのだ。なおも崩れる危険があるので近づかないように柵で囲ってあるが、残念ながら似たような光景は修道院の至る所で見られた。老朽化のせいだ。雑用係として修道院に雇われているヴォルフや近くの村の男たちが折を見て修理してくれているが、応急処置にしかならず、修理していく傍から別の箇所が崩れていく。

子供たちがいる孤児院は比較的最近建てられた建物だからまだいい方だ。だが礼拝堂とこの食堂を含む聖堂の老朽化は著しく、建て替え、もしくは本格的な修繕が必要なのは誰の目にも明らかだった。だが、この修道院に建て替えをする資金的な余裕はない。自給自足のつつましやかな生活をしているとはいえ、日々の生活や孤児院を経営していく上でどうしてもお金は必要になるからだ。

裕福な修道院は貴族の息女を行儀見習いの一環として一定期間受け入れる代わりに寄付を貰っているのだが、ここは貴族の子女よりも行き場をなくした庶民の女性を多く受け入れている。当然貴族からの寄付も少なく、近くの村々の微々たる寄付や修道院で作ったお酒やハチミツやお菓子などを売って細々と現金収入を得ているのが現状だった。

この修道院に拾ってもらった当時は気づかなかったそれらの事情も、ここで生活していけばおのずと耳に入ってくる。そのたびにシルフィスはやるせない思いに駆られた。

彼女はお金のある場所を知っていた。それらを自由にできる立場でもあった。後見人である従兄弟のロッシェの許可は必要だったが、彼はこういうことにうるさく言う性格ではないから、きっとシルフィスがこの修道院にお金を出すことを容認してくれただろう。彼女ならこの修道院を救えたのだ――かつてのシルフィスなら。

けれど今のシルフィスはただの修道女見習いに過ぎない。すべて失い、残っているものも捨ててしまった愚かな娘に過ぎないのだ。それに、かつてのシルフィスならこの修道院を知る機会などなかったはずだ。ここはディーステル伯爵領で、境界に接しているとはいえ、自分の生まれた領地ではないのだから。

ただの娘にならなければここを知ることはなかった。だが、ただの娘になったシルフィスには何の力もない。修道院のために何もできないのだ。……わかっているがそれが酷くやるせなかった。

シルフィスは崩れかけた食堂の一角に再び目を向けて、それからそっと目を伏せた。

朝食の後は午前の奉仕《仕事》の時間になる。シルフィスの仕事はここでも子供たちに文字や学問を教えることだった。

「ここの字、向きが反対よ。ほら、これよく見て」

小さな男の子がたどたどしく書いた文字を見て、シルフィスは机に置いてある見本の文字を指さした。だがその際、ふっと荒れてカサカサになった自分の手を見て、何とも言えない複雑な気持ちになった。

……かつてはその指は白く美しく整えられ、傷一つなかった。

修道院は自給自足が原則だ。自分たちが食べるもの、着るもの、使うものすべては自分たちの手で作らなければならない。もちろん、自分の世話は自分でする。見習いであるシルフィスも例外ではなく、慣れない家事にすっかり手は荒れ果ててしまっている。

「シスター・シルフィス？」

黙り込んでしまったシルフィスに、男の子が訝しげに首を傾げた。シルフィスはハッとして慌てて指示を出す。

「あ、ごめんなさい。さぁ、この見本を見ながらもう一度練習してみて」

そう言いながらシルフィスは手を引っ込めて膝の上でそっと握った。この手を恥じているわけではない。むしろ誇らしいくらいだ。自分の世話は自分でする。そんな当たり前のことができなかった自分が四苦八苦しながらも自分の力でやれている証なのだから。

それに、修道女たちはみなそうだ。裕福ではないこの修道院では満足に人を雇うこともできず、何もかも自分たちでやるしかない。子供たちの世話を割り当てられているシルフィスはまだ楽な方だ。畑作業や水汲み、食事作りに従事している修道女たちはもっと大変なのだから。

だが、その傷ついた手は苦労を知らなかった過去の自分を脳裏に蘇らせてしまう。愚かで罪深い自分を。それと同時に浮かぶのはどうしても消せない面影《おもかげ》——。

……あれから一年。彼はどうしているだろうか。

神に身を捧げて、彼のことは忘れる。そう決めたのに、ふとした瞬間にあの淡い金色の髪とブルーグレイの瞳の面影が頭をよぎる。そのたびに胸が疼《うず》いてまだ自分が彼を忘れられないことを思い知るのだ。

ここに来た当初は自分を酷使することで彼を忘れようとした。一生を神に捧げて過ごそうと決めた後は神に祈ることで意図的に彼を思い浮かべないようにした。そうしてここでの生活や忙しさに慣れることに神経を使ったこともあってか、少しずつ彼を思い出して胸が痛む頻度も減った。このまま忘れられるだろうと思ったこともあった。

なのに、あれからもう一年経つのだと気づいた瞬間、それはただのごまかしであったことに気づかされた。

一年経てば両親と姉の喪《も》が明ける。シルフィスと彼の喪も。彼は自由になるのだ。……そう思ったらダメだった。

何をしていてもふとした瞬間に思い出してしまう。裁縫の手を止めた時に、子供たちと接していてふと気が緩んだ時に、神に祈りを捧げているその時ですらも。

結局、自分はあの人を忘れてなどいないのだ。この愚かな恋心がすべての不幸の原因になったというのに。なのに自分は考えてしまう。そんな資格などないとわかっていても。

シルフィスは修道服の胸元をきゅっと握った。目が潤《うる》み始め、のどの奥に何かがせり上がってくる。

このままここにいたら子供の前で泣き出してしまうだろう。そう思ったシルフィスは同じく子供たちに勉強を教えていたシスターに、池の様子を見に行くと断って部屋を出ることにした。シスターはおそらく、シルフィスの涙を浮かべた目に気づいていただろうが、何も尋ねることもなく彼女を送り出した。

「敷地内とはいえ、気を付けてね」

ここの修道院は訳ありの女性が多い。それ故に本人が言わない限り詮索《せんさく》するべきでないという暗黙のルールがあった。そんな無言の気遣いに感謝しながら、シルフィスは部屋を静かに出て行った。

扉の外で深呼吸をしてせり上がってくる涙の発作を抑える。それから裾で涙をぬぐうとシルフィスは孤児院の建物を出て、敷地内にある池に向かった。

午後の奉仕の時間に子供たちを連れて池で釣りをする予定になっているのだが、一昨日の雨で水かさが増したこともあり、もう一度安全を確認してから判断することになっていた。雑用係のヴォルフも一緒に確認に行ってくれる予定だったのだが、今の時間別の作業をしているであろう彼をわざわざ呼ぶのも悪い。一人でも大丈夫だろう。それに何よりシルフィスは一人になりたかった。

池は修道院の敷地の端にある。シルフィスは修道院で管理している畑や果樹園の横の小道を通って池へと続く林道へと足を向けた。だがふと、後ろから近づいてくる足音を耳にして振り返る。

そこには果樹園を横切るようにして小走りでこちらへ向かってくるヴォルフの姿があった。きっと池の方へ行くシルフィスの姿を見て慌てて飛んできてくれたのだろう。彼はすぐ目の前までやってくると、池の方角を指さして首を傾げた。池に行くつもりなのかと聞いているようだ。

「ええ。予定より少し早めだけど見に行くことにして。私一人で大丈夫よ」

ヴォルフは修道院の雑用係として住み込みで雇われている男性だ。短く刈り上げた黒髪とがっしりとした体格の持ち主で、年は若く、まだ聞いたことがないがおそらく二十代だろう。

女子修道院であっても男性がいないわけではない。神父は男だし、ヴォルフの他にも近隣の村から畑仕事などに従事する男性を雇っている。けれど彼らとヴォルフはどこか違っていた。ヴォルフには粗野なところはまるでなく、むしろ所作は洗練されている。字の読み書きもできたし、礼儀作法も身に着けていた。こんな小規模な修道院で雑用をするのには似つかわしくなかった。だがそれもそのはずだ。以前どこかの貴族の屋敷で働いていたというのだから。

そんな彼がなぜ修道院で雑用係をしているのかといえば、彼は口が利けないからだった。生まれつきなのか、それとも理由があってなのかはわからない。けれど、そのためにヴォルフは今まで仕えていた貴族から解雇されたようだ。それで親類を頼って旅をしている最中、ならず者たちに襲われそうになっていたこの修道院の神父を偶然助けたのが縁でここで働くようになった。半年前のことだ。

ヴォルフがどこのどういう貴族に雇われていたのかは知らない。訳ありの人間を多く受け入れているこの修道院では誰も余計な詮索をしないのだ。重要なのは過去ではなく、ここでの役割をしっかり果たすこと。無骨ながらも言われたことはきちんとこなし、礼儀正しく、若い修道女たちに下卑た視線を向けることのない彼は、あっという間に修道女たちに好意をもって受け入れられた。今まで自分たちがしなければならなかった力仕事も進んでやってくれるため、重宝されている。

そしてきっと今も何か仕事を請け負ってやっている最中だったのだろう。身に着けたシャツに土がついていたところを見ると畑仕事か、崩れた壁の修理でもやっていたに違いない。

それなのにシルフィスの姿を見て追ってきてくれたのだ。感謝すると共に申し訳ない気持ちになった。そんな彼の気遣いを無下にすることになるのだから。でも今は一人になりたかった。

心配しているのか眉を顰《ひそ》めるヴォルフにシルフィスは言った。

「ヴォルフは仕事に戻って。私は大丈夫だから。様子を見たらすぐに帰るわ」

ヴォルフはしばらく思案するようにシルフィスを見下ろしていたが、大丈夫だと言葉を重ねると、やがて納得したのか諦めたのか、頷いて、来た道を帰っていった。それをしばし見送ってシルフィスは再び林の小道へと足を向けた。

浮かぶのは恋い焦がれた人の面影。忘れなければと思うのに、止められない。胸が掻きむしられるほど辛いのに、考えずにはいられない。

一年の喪が明ければ彼は自由になる。もうコリンソン家に義理立てする必要もなくなる。自由になった彼はどうするのだろうか。彼にふさわしい人を選ぶのだろうか。……それが当然だ。彼には跡継ぎが必要なのだから。

だけどそう頭では納得しているのに、心が悲痛な声を上げる。自分にはそんな資格などないのに。

林の小道をしばらく進むと木立の間から池が見えてきた。大きな池で、ここで捕れる魚は修道院にとって貴重な食料だ。その魚を捕るために設えた桟橋《さんばし》に立ってシルフィスはぼんやりと池を眺める。池は日差しの光に反射してキラキラ輝いて見えた。一昨日の雨の影響で水かさは増しているが、問題になるほどではない。子供たち――特に男の子たちは釣りが大好きだ。きっと喜ぶだろう。そう考えながら、けれども心は別の場所にあった。

これは罰なのだろうか。恋心を捨てられず、取り返しのつかぬ事態を引き起こしてしまった自分への。忘れたくても忘れられぬ面影を抱いて一生を過ごすのが――。

そこまで考えてふっとシルフィスは自嘲《じちょう》した。そうなのかもしれない。これこそが自分にはふさわしい罰なのだろう。両親と姉の安らかな眠りを神に祈る傍ら、永遠に手の届かない人を思って苦しみ続けることが。ならば――。

シルフィスは再び滲み始めた涙を払い、その場でひざまずいて両手を合わせて神に祈りを捧げた。

忘れられないのなら、せめて祈ろう。彼の幸せを。愚かな自分に関わったばかりに愛する女性を失うことになったあの人が、これを機に新たな一歩を踏み出せるように。彼の身分にふさわしい人と幸せな人生を送れますようにと。

しかし祈りを終えて、帰ろうと立ち上がり振り返ったシルフィスは、そこに一人の男性の姿を認めて驚愕に目を見開いた。

後ろにすっきり流されている月の光のような淡い艶やかな金髪に、青と灰色を混ぜたようなブルーグレイの怜悧《れいり》な瞳。彫像のような高い鼻梁《びりょう》と引き結ばれた薄い唇を持つ青年。その鍛え上げられたしなやかな身体を黒いマントで包み目の前に立つ美丈夫は、まるで悪魔のようにも見えた。――シルフィスを堕《お》とそうとしている悪魔に。

彼女の中から目の前の人物以外何もかもが消え失せた。

……もう一生会うことはないと思っていた人。恋い焦がれ、どんなに願ってもひと時だって忘れることができなかった人。会いたくて、でも会いたくなかった人。

アルベルト・ディーステル伯爵――シルフィスの亡き姉レオノーラの婚約者だった男《ひと》。

なぜあなたがここにいるの……？　そう問いたいのに言葉が出なかった。

「な……ぜ……？」

「迎えに来た。シルフィス・コリンソン伯爵令嬢」

目の前の美丈夫が淡々と言葉を紡ぐ。だがその口調とは裏腹に、血の気を失ったシルフィスに向けられる目はまっすぐ彼女を射抜いていた。

「君には私のもとへ来てもらう。嫌とは言わせない。君は私に返さねばならないものがあるはずだ。……その身をもって」

＊＊＊

シルフィスが身を寄せる、この修道院を含む広大な領地を治めるアルベルトは辺境伯だ。

辺境伯とは防衛上重要な土地を領地に持つ伯爵に与えられる特別な名称で、伯爵よりも一つ上の侯爵位にも匹敵するほどの権力と権限を持つ。ディーステル家も例外ではなく、領地は隣国との国境に面しており、交通の要所でもあった。防衛上重要なこの地を領地として長年国境の砦を守ってきたディーステル伯爵は、この地方においては国王より影響力があり、小さな国家の君主のようなものだった。

アルベルトはその重要な地位を弱冠二十歳で父親から継いだ。何か起これば周辺の貴族たちを纏め上げて戦闘の指揮を執らなければならない。そんな特殊な立場に就くには若過ぎる年齢だった。だが、アルベルトはその重圧をものともせず、冷徹な采配と手腕でまたたく間に貴族たちの心を掌握《しょうあく》していった。

彼がディーステル伯爵になってから六年。今では名実ともに厳格で冷酷なこの地方の支

配者としての地位を確立していた。

そんな彼が選んだ伴侶がシルフィスの姉、名門コリンソン伯爵家の長女、レオノーラだった。……次女のシルフィスではなく。

――『君は私に返さねばならないものがあるはずだ』

シルフィスはそのアルベルトの言葉に驚愕の淵《ふち》から絶望の谷に突き落とされたような気がした。

「返さねばならない、もの……」

血の気を失った顔で呆然とつぶやく。そんな彼女に更に一歩近づきながら、アルベルトは無表情に告げた。

「わかっているはずだ。ディーステルとコリンソンの名で結ばれた契約。ディーステル伯爵家の未来だ」

ディーステルとコリンソンの名で結ばれた契約。それは彼らの父親同士が交わした婚約のこと。

ディーステル伯爵家の未来。それはシルフィスが結果的に彼から奪ってしまったもの。

ディーステル家の後継者――アルベルトの子供を産むはずだったレオノーラの……命。

冷たい手で心臓を鷲掴《わしづか》みされたような気がした。足の力が抜けて、代わりにガクガクという震えが伝わってくる。

「コリンソンの名を持つ君はそれらを私に返す義務がある」

アルベルトはまた一歩シルフィスに近づく。彼女は震える足で後ろに下がりながら、かろうじて言葉を紡ぐ。

「……コリンソンの名は、とうに捨てました。私はもう、ただのシルフィスという名の娘なのです……」

けれどそのシルフィスの言葉をアルベルトは一蹴《いっしゅう》した。

「名を捨てようがコリンソンの血を継いでいることには変わりない。それに、嫌とは言わせないと言ったはずだ」

その言葉に断固とした意思を感じて、シルフィスは恐れを感じた。……いや、恐れなどアルベルトの姿を見た時からとっくに感じていた。かつては恋い焦がれて少しでもその姿を見ていたいと願ったのに。

……すべては変わってしまったのだ。あの日に。あの時に。

シルフィスは怯む心を叱咤《しった》して、震える声で告げた。

「……私では、お役に立ちません。私は一生を神に捧げて生きていこうと決めたのです。父との約束のことは忘れて、どうか私のことはお捨て置きください」

「それはできない。修道女になることを許した覚えはない」

アルベルトはまた一歩近づきながら言った。そしてそのブルーグレイの瞳で値踏みするようにシルフィスの全身に視線を走らせる。白いベールで覆われた頭から、質素な白い修道服にきっちり隙間なく隠された足まで。そして最後に修道服の胸元を押し上げている柔らかな曲線に視線を当てて言った。

「それに神に仕えるのではなく、私に仕えればいい」

「……あなたに……？」

「そうだ。私に仕えろ。その身体で奉仕するんだ」

シルフィスを見据えて告げるアルベルトの目には明らかな劣情《れつじょう》が浮かんでいた。

自分は悪い夢でも見ているのだろうか。シルフィスは震えながら思った。

もし会うことがあったら、あの冷たい目で糾弾されると思っていた。それを何より恐れていた。だから両親と姉の葬儀の後、話があると言ってきた彼に応じることなく逃げてしまったのだ。

けれど、今シルフィスを見るアルベルトの目に糾弾の色はない。それどころか、いつもは冷たいと言われているそのブルーグレイの目に妙に熱っぽい光を浮かべてシルフィスを見つめていた。

その目と言葉が告げていることは明らかだ。アルベルトはシルフィスに性的な意味で仕えろと言っているのだ。修道服に身を包む彼女に。

シルフィスは激しいショックに襲われながらも首を横に振った。

「だ、ダメです。いけません。私は……修道女、神に仕えると誓った身です！」

「そうか。ならば奪うまでだ」

　こともなげにそう告げられて、え？　と思う間もなく間を詰められた。その手が伸びてきてシルフィスの白いベールを摑んで剝ぎ取る。彼女は見習いの身なので他の修道女たちのようにはベールの下にウィンプル《頭巾》は付けていない。そのため、ベールから露出しないように結い上げられていた褐色の髪が日の下《もと》に晒された。

「何を……っ！」

　でもそれだけでは終わらなかった。顎を摑まれて上向かされ、そこにアルベルトの顔が落ちてくる。避ける間もなく、シルフィスの唇がアルベルトの口に塞がれた。

　かつて挨拶《あいさつ》として手の甲にキスを受けたことはある。だが、唇にキスを受けるのは初めてだった。驚愕に目を見開き硬直するシルフィスをよそに、アルベルトは我が物顔で柔らかな彼女の唇を蹂躙《じゅうりん》する。そのキスはまるで貪るようだ。押し付けられた唇と舌で強引に口の間を割ってこようとしているのに気づき、我に返ったシルフィスは押しのけようとした。だが、ビクともしない。

　やがて息苦しくなってきたシルフィスが空気を求めてわずかに開けた口の間を強引に割ったアルベルトの舌が、とうとう侵入を果たした。

「……や、ま、んんっ……」

初めての感触に怖くなって頭をずらして避けようとする。だが、後頭部をがっちり摑んだ手が逸らすことを許さなかった。

かつて、彼にキスされたらどんなふうだろうと夢想したことがある。それは社交界にデビューしたての乙女らしく、恋物語にあるような優しい口づけだ。けれど押し付けられた唇はその想像を遥かに超えて生々しく激しかった。ざらざらとした舌が咥内をかき回していく。逃げる舌と追う舌が絡まり、どちらのものともわからぬ唾液がヌチャヌチャと湿った音を生み出す。

「……ん、ふっ……」

咥内をこすられるたびにぞわぞわとしたものが背中を走り抜け、力が抜けていく。口の中を這いまわる舌に気を取られて気づかなかったが、腰にもアルベルトの手が回されていて動きのすべてを抑えられていた。

「んんっ、んぅ……」

口腔内を舌で犯され、きつく拘束されたシルフィスは息苦しさに目の前がくらくらしてきた。鼻で息をすることは少しも頭に思い浮かばなかった。苦しくて命の危険すら感じて、アルベルトの肩を叩くと、それに気づいたのかほんの少しだけ彼は唇を離す。

「ふぁ……」

生理的な苦しさから目を潤ませながら空気を取り込もうと喘ぐシルフィスを見下ろして、アルベルトは唾液で濡れた口角をかすかに上げた。けれどそれはいつかシルフィスに見せた、厳しい雰囲気を和ませる春の息吹のような笑みではなくて、捕らえた獲物をどう食らってやろうかと見据える肉食獣のような笑みだった。

再びシルフィスの唇に顔を寄せてアルベルトは囁いた。その口に吐息を吹き込むように、残酷な言葉を。

「君は私に償わなければならないことがあるはずだ」

——償い。

シルフィスは涙で潤んだ目を見開いた。ああ、と思った。——とうとうこの時がきたのだと。

唇が重なり、またしても口を貪られる。

頭のどこからか、すべてはお前のせいだと責める声が聞こえた。それは自分の声のようでも、今自分の咥内を罰するかのように犯している人物の声のようでもあった。

——お父様。お母様。……お姉様。

「……んっ、うっ……」

苦しい息の中でシルフィスは目の前がどんどん暗くなるのを感じた。満足に空気を吸えないうちに再び口を塞がれたからか、精神的にショックを受けたからなのか。……あるいは両方だったかもしれない。

けれどその暗闇をシルフィスは歓迎し、そのひと時の安らぎに身を委ねた――。


ぐったりと己の腕の中で力を失っていく身体をアルベルトは受け止めて、自分の黒いマントを外してそっと包んだ。黒いその布の中に白い修道服姿の彼女が覆われていくさまは妙に暗示的だ。近くで一部始終を見守っていた部下もそう思ったらしい。林の木陰から出てきて呼びかける声は物思わしげだった。

「閣下」

アルベルトはその部下の声に、歪んだ笑みを浮かべた。

「神の御許から神の花嫁を攫う――私を不敬だと思うか？」

「……いえ」

男は首を振った。そのしぐさに迷いはない。

「私は神の僕《しもべ》ではなく、貴方の僕ですから。閣下の御心に従います」

「……不本意だが一年間、猶予と時間を与えただけだ。コレは私のモノだ。誰が神になどくれてやるものか」

アルベルトは黒いマントに覆われたシルフィスを抱き上げながら男に言った。

「後始末はお前に任せる。騒がれても厄介だからな。私は彼女を連れて先に屋敷に戻っている」

「畏まりました閣下」

男は頭を下げる。その前をシルフィスを抱えたアルベルトが通り過ぎていった。見えなくなるまでその姿を見送った男は、ふと彼女がここに来ることになった理由を思い出して振り返る。

そこには桟橋と、何事もなかったかのように静かに揺れる湖面があった。

2　定められた婚約者

シルフィスはコリンソン伯爵家の次女として生まれた。

コリンソン伯爵家は辺境伯であるディーステル家には劣るものの、古くからある家柄で豊かな領地を持ち、この地方では有力な貴族の一つだ。ディーステル領とはほぼ隣り合わせで境界の一部を接しているため、両家には古くから交流もあった。ディーステル家の発展と共にコリンソン家も発展してきたといっても過言ではない。

そんな名門貴族の娘として生まれたシルフィスは何不自由なく育った。コリンソン伯爵には二人の娘がいたが、次女であるシルフィスに望まれていたのは、コリンソン伯爵家の有利になるような貴族のもとへと嫁ぐことだけだ。そのため、一通りの淑女としての作法は厳しく身につけさせられたが、比較的自由にさせてもらえた。

ところが長女であるレオノーラは少し事情が違った。コリンソン伯爵である父には男子がいないため、長女であるレオノーラが後継者としての教育も受けていたのだ。

このリーデンバーグ国では、財産や爵位の相続権は当然のことながら男子優先だ。けれども直系に男子がいない時に限って娘にも相続権が与えられている。女伯爵になるのはいろいろと条件があるため、婿をとってその夫に爵位を与えるという形を取ることが多いが、それでも爵位はその女相続人のものであることに違いはない。そのためレオノーラは将来有望な貴族の子弟——長男ではなく次男や三男など——を婿にとることを望まれていて、同時にコリンソン家を支えるだけの力量も求められていた。聡明なレオノーラはそれによく応えた。

しっかり者の姉と明るく闊達《かったつ》な妹。性格は違ったが、コリンソン伯爵の姉妹は仲が良かった。年頃になると供もつけずに領地を歩き回る妹に姉が注意し、妹はそれに少々反発する。そんな場面もあったが、社交に忙しい両親の代わりに妹を守ろうと頑張ってくれているレオノーラにシルフィスは深く感謝していた。シルフィスより一つ年上だったレオノーラが一足先に社交界にデビューし、後継者として付き合いに忙しく留守がちになっても姉妹の仲は変わらなかった。

——シルフィスがアルベルトと初めて出会ったのは、そんな頃だ。

十六歳になり、社交界デビューを間近に控えたその日、珍しく両親とレオノーラはどこにも行かず館に揃っていた。なんでもとても重要な客が商談に訪れる予定らしい。商談ならば伯爵夫人である母や後継者である姉はともかく、自分は特に顔を出さなくていいはずなのだが、その日はなぜかシルフィスもその客人が来たらドレスアップして迎えるように厳命されていた。

けれどもその客が来る予定の時刻までまだ余裕があると思ったシルフィスは、黙って散歩に出かけた。時々餌を与えていた小鳥が卵を産み雛が孵《かえ》ったので、その様子を見たかったのだ。

ところが、巣がある木の下に行くと、その雛が下でピーピー鳴いているのが目に入った。どうやら巣から身を乗り出したかして下に落ちてしまったらしい。幸い地面に生えた草がクッションの役割を果たしたようで怪我はない様子だが、親鳥は餌でも取りに出かけているのか、巣に戻れなくて鳴いているらしい。

シルフィスは親を求めて鳴く雛をハンカチーフでそっと包んだ。自分の匂いを付けないためだ。親鳥がいくら人に慣れていようとも、子育て中は神経質になっているだろう。素手で触れて人間の匂いがついてしまったりしたら、育児を放棄してしまうかもしれない。それを危惧したのだ。

だがハンカチーフで雛を包んで上を見上げたシルフィスは途方に暮れた。巣までは彼女の腕をめいっぱい伸ばしても届きそうにないからだ。

一度雛を連れて屋敷に戻るか、それとも……。

シルフィスは木をじっと見上げた。手の届く位置に別の枝がある。あれを支えにして少し登れば巣に手が届かないだろうか。幸い、今はコルセットが必要な大仰なドレスではなくシュミーズドレスだ。

シルフィスはドレスの裾を持ち上げて、足を木の瘤《こぶ》にかけようとした。その時だった──淡々とした声が後ろからかかったのは。

「何をやっている」

ハッとしてシルフィスが振り返ると、いつの間に近くにきたのか、灰色の立派な馬に騎乗した一人の若い男性がシルフィスを見下ろしていた。どうやら、雛をどうやって戻すか思案に暮れていたせいで、馬が近づく気配に気づけなかったようだ。

見覚えのない人だった。着ている質のよさそうな黒っぽいマントといい、乗っている毛並みの良い馬といい、その泰然とした様子からも貴族であるのは明らかだ。だが、今まで屋敷に訪れたり、またシルフィスが訪問したことのある貴族の館では会ったことのない人だった。

「木登りでもする気か？」

ブルーグレイの視線が木にかけようとしていたシルフィスの足に注がれる。呆然とその人を見上げていたシルフィスは慌てて足をドレスの中に戻した。

「雛が……」

おずおずとそう答えながら、シルフィスは気おくれする。木に登ろうなどという淑女らしからぬ場面を見られて恥ずかしかっただけではなく、その人が持つ雰囲気にも圧倒されていた。

顔立ちは端整と言えるだろう。けれど貴族の子弟にありがちな弱々しさも甘さもそこには一切なかった。きりっとした太い眉も淡い色あいの金髪を後ろに撫でつけた髪型も、その青と灰色を混ぜたような目も。彫像のように美しい造形なのに、その美しさがかえって圧力と厳しさをより際立たせていた。

綺麗というより怖い。それがシルフィスがアルベルトに抱いた第一印象だ。

アルベルトは、シルフィスの手の中にある白いハンカチーフに包まれた雛と、木の枝にあった鳥の巣を交互に眺めて言った。

「落ちたのか」

「は、はい。戻そうと思って……」

「それを貸しなさい」

アルベルトは馬上からシルフィスに向かって片手を差し伸べて言った。おそらく雛を巣に戻そうと申し出てくれたのだろう。馬上にいる彼からは巣に手が届くから。けれどシルフィスは渡すのを躊躇してしまった。

「あの、でも……」

差し伸べられた手に戸惑うような視線を送る。貴族の中には意地の悪い人もいて、平気で小さな命を踏みにじることもあるからだ。この人がそんな人だとは思えないが、恐れが先に立ってしまった。不安に揺れる目を向けるシルフィスにその人は眉を顰めて呆れたような吐息を漏らした。怒らせたのかと、シルフィスはびくっと震えた。

けれどアルベルトは軽い身のこなしで馬から下りると、シルフィスに近づいていきなり彼女の膝の裏に手を回して抱き上げた。

「きゃあ!?」

「騒ぐな。雛を巣に戻したいんだろう」

彼はそう言って、シルフィスのお尻を自分の片方の腕に軽々と座らせた。背の高い彼の腕に座るとかなりの高さになる。そう、手を伸ばせば巣に届くくらいには。アルベルトの意図を悟ってシルフィスは思わず彼の顔を見下ろす。そんな彼女に彼は言った。

「自分の手で巣に戻したいのだろう？　この高さなら届くはずだ」

「あ、ありがとうございます！」

やはりそのつもりで自分を抱き上げてくれたのだ。シルフィスは深く感謝して手に持っていたハンカチーフに包んだ雛をそっと巣に戻した。

ずっとシルフィスの手の中で大人しかった雛は恐怖のあまりに硬直していたらしい。巣に戻すと我に返ったのか急にピーピー鳴きだして、巣の中をうろうろと動き回った。もしかしたら自分の巣に戻ってきたことがわかっていないのかもしれない。そう思うのは羽の生えきっていない翼をばさばさと動かしながら、尋常でない動きをしているからだ。

ハラハラしながらその様子を見守っていると、巣の端の段差のある場所に登った雛の体がぐらついた。

「あっ！」

——落ちる！

息を飲むシルフィスの目の前で雛の身体が巣から傾いでいく。だが、その雛はよくよく幸運に恵まれているらしい。落ちた先はシルフィスの膝の上——そう、巣の真下にいた、アルベルトの腕に座っていたシルフィスのドレスの上に落ちたのだ。

「運のいいやつだな」

「よかった……」

安堵の息をもらすシルフィスのその柔らかな白いドレスの上で、自分が落ちたのも理解できていない様子の雛がピーピーと鳴いた。

「いきなり巣の中に戻すのではなく、自分から戻るように誘導してやればいい」

シルフィスが雛を再び戻すべくハンカチーフで包んでいるとアルベルトが言った。

「誘導？」

「そう。貸しなさい」

手を出す彼に、今度は素直に従ってハンカチーフごと雛を差し出す。アルベルトはシルフィスを抱えている方とは反対の手で受け取ると、腕を伸ばして巣の中ではなくその手前で雛を乗せた手を開いた。するとどうだろう。雛はピーピーと鳴き、羽をばたばたさせながら自分で彼の手のひらから巣の中に飛び移ったのだ。そして今度は自分の巣だと認識しているのか動揺することもなく、大人しく巣の真ん中で丸くなる。いや、丸くなるだけじゃない。すっかり安心したのか、それともつい先ほどのことを忘れてしまったのか、目を閉じて寝てしまったのだ。

本当に寝たのかはわからなかったが、すっかりくつろいでいるのは確かだ。つい今しがたまでピーピーと親を求めて鳴いていたのに。その変わり身の早さにシルフィスは唖然として、思わずアルベルトと顔を見合わせた。さすがの彼も雛の緊張感のなさに呆れたらしく、眉を上げていた。

シルフィスは不意におかしくなってクスクスと笑いだした。

「ついさっきまであんなに鳴いていたのに、変わり身の早さときたら！」

「落ちたことなどもう頭にないらしい」

呆れたような口調にシルフィスはますます笑い声を上げる。するとそれにつられたようにアルベルトの引き結ばれていた口がゆるんだ。微笑んだといってもいいだろう。そしてその微笑みは彼のイメージをがらりと変えた。厳しさがゆるみ、冷たさが一掃される。それはまるで雪解けの地面から芽吹いた春の草花のようだ。

　それを間近で見たシルフィスの心臓がどきんと高鳴り、頬が染まった。端整な顔に浮かんだ微笑みに魅了されていた。

　彼自身も、微笑んだ自分に驚いているようだ。目を見張り、自分の弧を描いた口に手を当てている。この人はほとんど笑ったことがないのだ……こんなに素敵な笑顔を持っているのに。そして自分はそんな彼が微笑んだ貴重な場に居合わせたらしい。そのことが妙に嬉しかった。

　やがてもう問題なしとみたアルベルトがシルフィスを地面に下ろす。それを心のどこかで残念に思いながら彼女はアルベルトに声をかけた。もう最初見た時に感じた怖さはみじんも感じていなかった。

「あの。ありがとうございました」

「……偶然だ。それより君はコリンソン伯爵の……？」

　アルベルトはシルフィスの艶やかな褐色の髪、神秘的な黒い瞳、瑞々しい桃色の唇、そして華奢な身体に目を走らせて言った。

「あ、はい、そうです。次女のシルフィス・コリンソンと申します。あの……もしかしてコリンソン邸にいらっしゃる予定のお客様ですか？」

　明らかに貴族然とした男性がコリンソン家の領地――しかも館のすぐ近くで偶然居合わ

せるなどということはありえない。おそらく父の言っていた重要な客とは彼のことだろう。

そう思って尋ねたシルフィスは彼の言葉を聞いて驚く。

「ああ、少し早く着きそうなので周囲を見て回っていた。私はアルベルト。アルベルト・ディーステルだ」

「ディーステル伯爵……！」

父が重要な客と言うわけだ。それはこの地方では君主にも等しい名前だった。まだ社交界にデビューしてないシルフィスですらその噂を知っている。当代のディーステル辺境伯は若くして亡くなった父親の地位を継いだ、公正だが厳しく冷酷な領主だと。

その彼に、木に登ろうとしている場面を見られたばかりか、その腕を踏み台代わりに使ってしまったのだ。シルフィスは慌ててドレスの裾をつまんで淑女の礼を取って謝罪した。

「辺境伯とは知らず無作法を致しました。無礼をお許しください」

「いや。構わないから頭を上げなさい」

その言葉に顔を上げると、アルベルトのシルフィスを見下ろす表情は柔らかく、まだ微笑みの名残があった。どきんと胸が高鳴る。

「君のことはお父上から聞いている。明るく朗らかで素直なご令嬢だと言っていた。……なるほど、伯爵が自慢するわけだ。まだ社交界デビューをする前だそうだが、デビューしたらさぞ独身の連中は色めき立つだろう」

　彼の口から流れる褒め言葉にシルフィスの頬が赤く染まる。その顔を意味ありげに見下ろしながらアルベルトは更に言った。

「だが、君はコリンソンの名を持つ。連中はさぞ悔しがるだろうな」

「コリンソンの名を持つ？」

　シルフィスはアルベルトの言っていることがわからず首を傾げる。

「知らないのか。……まぁ、いずれわかる」

　アルベルトは喉の奥でくっと笑い、意味がわからず困惑しているシルフィスに言った。

「さて、そろそろ館の方に行くとしよう。すまないが案内してもらえるか？」

「シルフィス！　お前はまたふらふらと外に出て！　それに、ディーステル伯爵の前でなんという格好をしている！」

　一足先に訪れていた従者にディーステル辺境伯の訪問を知らされ、館の玄関先に迎えに出ていたコリンソン伯爵は、アルベルトの馬に一緒に乗っている娘の姿を見て仰天した。言い逃れできないシルフィスは叱咤されて首を竦める。シュミーズドレスは室内着だ。家族ぐるみで親しくしている従兄弟のロッシェ・レフォール伯爵ならともかく、ディーステル伯爵ほどの人物を迎えるのにふさわしい装いではない。けれど、その当のアルベルトがとりなすように言った。

「叱らないでやってくれ、コリンソン伯爵。私は構わない。それに迂回をして少々方角がわからなくなっていたところで偶然居合わせて案内をしてもらった。助かったのはこちらの方だ」

けれどそれは半分嘘だということをシルフィスは知っている。確かに道を外れて林の中を迂回していたのだろうが、彼は間違いなく館の方角に向かっていた。方角がわからなくなってというのはシルフィスが叱られないようにするための方便だろう。

雛のことといい、彼は一見冷酷で厳しそうでいながら実はとても優しい人なのだ。それにあのイメージを一変させる柔らかな微笑み。あれを見たら冷たいなどと誰も思うまい。けれど……それを知っているのはシルフィスだけ。それが妙に嬉しかった。

そしてアルベルトはシルフィスが馬から下りるのに手を貸しながら、その微笑みを浮かべて彼女だけに聞こえるようにそっと耳打ちした。

「雛のことは私たちだけの秘密だ」

――その時、シルフィスは恋に落ちた。

＊＊＊

ぼんやりと目覚めたシルフィスの目に飛び込んできたのは、見知らぬ天井だった。見慣れた修道院の無骨なグレイの天井ではない。柔らかな淡いクリーム色を基調とした金色の飾り模様に縁どられた美しい天井だった。

ハッとして起き上がったシルフィスは、天井に負けないくらい美しく豪華な装飾が施されたベッドに自分が寝かされていたことを知った。敷かれているシーツも修道院のベッドで使っていたごわごわしたシーツとは比べ物にならないくらいに柔らかな肌触りだ。

ふと、髪の毛が頬をふわりと撫でる感触に違和感を感じて自分を見下ろすと、結っていたはずの髪は解かれ、着ている服も修道服ではなく白いモスリンで作られた柔らかな薄手のナイトドレスに変わっていた。

「これは……」

戸惑いながらあたりを見回すと、天井と同じく繊細な模様が描かれたクリーム色の壁が目に入った。襟《えり》足の長い絨毯に覆われた床。豪奢な家具もおそらく部屋に合わせて作られたのだろう、クリーム色に金色の彫り物で飾られている。シルフィスがいるベッドだけではなく、部屋全体も豪奢な造りになっていた。

修道院ではありえないその豪華さは、かつての生活でよく見知っていたものだ。

「私の……部屋？　……ううん、違う」

自分の部屋によく似た雰囲気に、一瞬あの懐かしのコリンソン邸の部屋かと錯覚した。だが、窓の位置は明らかに違うし、何よりここはシルフィスが使っていた部屋よりいっそう豪華な造りになっていた。だからコリンソン邸ではない。

ではここは——？

そう思いながらもシルフィスには答えがわかっていた。脳裏に一年ぶりに会ったアルベルトの姿が蘇る。押し付けられた唇も、貪るような口づけも。……そして言われたことも。

シルフィスは震える手でアルベルトが触れた唇に触れた。まるで罰するかのような口づけを思い出して胸が締め付けられる。だがアルベルトにはシルフィスを罰する権利があった。糾弾する理由も。

——彼が選んだ婚約者。美しくも賢いレオノーラは、シルフィスの行動が原因で命を落としたのだから。

自分とよく似た面差しの女性の姿が頭をよぎる。この一年でおなじみになった、胸の痛みと悲痛な思いに囚われそうになったその時、寝室の扉が静かに開いて、使用人らしき女性が部屋に入ってきた。

紺のお仕着せにエプロンを身に着けた金髪のその若い女性は、身を起こしているシルフィスに気づくと、手にしていた水差しをサイドテーブルに置いて言った。

「お目覚めですか、シルフィス様」

「あなたは……？」

女性は頭を下げて名乗った。

「私は伯爵からシルフィス様のお世話を仰せつかったファナと申します」

「伯爵……」

伯爵と呼ばれる人は何人か知っている。父もそうだったし、従兄弟のロッシェも伯爵だ。だがファナの言う伯爵はおそらく……。

「シルフィス様は丸一日お目覚めにならなかったのですよ。伯爵もずいぶん気にされていらっしゃいました。ご気分はどうですか？　何か召し上がりますか？」

シルフィスは首を振った。食欲などあろうはずがない。それより気になるのは……。

「……あの、ここはどこでしょうか？」

恐れながらも尋ねたシルフィスにファナは快活に答えた。

「ディーステル伯爵家の館です。そしてここは当主であるアルベルト様がシルフィス様のために作られたお部屋ですわ」

――ディーステル伯爵の館。予想していたけれど聞きたくなかった答えにシルフィスは慄く。けれどそのあとの言葉にふと疑問が湧いた。

「私のために作られた……？」

「はい、そうです」

ファナはにっこりと笑った。

「この部屋にようやく主を迎えることができまして、私たち使用人一同皆喜んでおります。それでは私はアルベルト様にシルフィス様がお目覚めになったことを伝えに参りますね。何か御用がありましたら、遠慮なくお申し付けください」

そう言ってファナはベッド脇にたれ下がる使用人を呼ぶための紐を示した後、一礼して扉に向かった。そんな彼女をシルフィスは慌てて呼び止める。

「あの、私が着ていた服は……？」

気を失っている間に自分を着替えさせてくれたのは彼女だろうと予想して尋ねる。あの修道服はシルフィスにとって居場所と生きていく意義を与えてくれた大切なものの象徴だった。処分されてしまったら心が張り裂けてしまうだろう。それにシルフィスは修道院に戻るつもりだった。

彼のもとにはいられない。そんな資格などない。修道院で一生を神に捧げるのだと心に決めていた。

「あの服ならそのワードローブの中です」

そう言ってファナが示したのは、部屋に合わせて白地に金の模様が細工された猫足の豪奢なワードローブだった。けれど、中を確かめようとベッドから降りかけたシルフィスをファナが止めた。

「シルフィス様。その服はそこから出してはいけません」

　そう言って彼女はベッドまで戻るとシルフィスの手をそっと取った。シルフィスは自分の荒れた手を気にしてファナの手を外そうとしたが、思いのほかファナの力は強かった。そのファナの手は綺麗に整えられていて、ますますいたたまれなさを感じてシルフィスは目を伏せる。

「いいですか、シルフィス様。これはファナの忠告にございます。二度とあの服をお召しになってはいけません」

「え？」

　思わず顔を上げたシルフィスはファナの真剣な眼差しに出会った。

「アルベルト様の前では特に。身に着けることはおろか、目に入れることもなりません。大切だと思うのなら、仕舞ったままにしておいてください。……あの方は、シルフィス様が修道女になろうとしたことを許してはいないのですから」

「どういうことですか……？」

　許してはいない。その言葉に内心怯みながらシルフィスは尋ねた。

「それはあなたご自身が一番よくわかっていらっしゃるはず」

　そう告げるファナの口調は優しくも厳しかった。

「あなたはコリンソン伯爵家のご息女。お姉様が亡くなられた今、ディーステル伯爵家に、いえ、アルベルト様に捧げられる定めの身なのですから――」

ファナが寝室から出て行った後、シルフィスは両手で自分を抱きしめた。その身体はぶるぶると震えていた。

――コリンソン家の娘。

かつてそのことがアルベルトと自分を繋いでいる気がした。けれど今は、戒めとなって自分を縛り付けている鎖のような気さえしていた。

＊＊＊

ディーステル伯爵と縁を結びたいと思う貴族は多い。周辺の貴族のみならず、王都の貴族、王族でさえも無視できない権力を持っているからだ。女性たちはこぞって彼に群がった。だが、アルベルトは二十五歳になっても誰とも婚姻関係を結ばなかった。そして彼が独身でいる理由は、先代のディーステル伯爵がコリンソン伯爵と交わした約束にあると言われていた。

シルフィスの父親はアルベルトの父親である先代のディーステル伯爵とは親しい友人の間柄だった。それでコリンソン伯爵に娘が生まれた時にこう言ったのだという。

『将来、アルベルトの妻としてコリンソン伯爵の娘を迎えよう』と。

　その時の対象は生まれたばかりのレオノーラだっただろう。だが、コリンソン伯爵家に男子が生まれていないその時にはレオノーラが婿をとって伯爵位を継ぐ可能性もあった。そうなると長男として生まれ、弟も妹もいないただ一人の跡取りであるアルベルトと婚姻関係を結ぶのは難しくなる。だからレオノーラとは限定せず『コリンソン伯爵の娘』としたのだ。

　一年後、レオノーラに続いてシルフィスが生まれると『コリンソン伯爵の娘のどちらか』ということに変わった。やがてシルフィスの後に子供が生まれず、レオノーラが婿をとってコリンソン家を継いでいく可能性が濃厚になってくると、その話は暗黙のうちに『コリンソン伯爵の次女が嫁ぐ』ことになっていた。コリンソン伯爵の次女――すなわちシルフィスが。

　だがそれはあくまで口約束だ。約定書を交わしたわけではない。だから先代のディーステル伯爵が落馬がもとで突然亡くなった後、爵位を継いだアルベルトにはそれに従わなければならない義務はそれほどなかった。自分で相手を選んでもよかったのだ。それ故、ディーステル伯爵となった時からアルベルトは多くの女性に狙われた。けれど彼は妻を選ぶ気配がまるでなく、いつしか社交界では「ディーステル伯爵は先代が交わした約束を重んじてコリンソン伯爵の娘が成人するのを待っている」という噂がまことしやかに流れるようになっていた。

　シルフィスがそれらのことを知ったのは社交界にデビューしてからだ。不確かな話で娘を戸惑わせることを避けたいと思ったのか、両親も、一足先にデビューをしていたレオノーラも何も言わなかったからだ。だが、父は結婚の可能性があるのはわかっていたのだろう。だからアルベルトがコリンソン邸を訪れた時に、彼女に挨拶に出向くように厳命したのだ。そしてアルベルト自身も貴族たちの間で噂されていた話を知っていた。だから初めて出会った時に『君はコリンソンの名を持つ』と言ったのだろう。

　社交界デビューの後で初めてその話を聞いたとき、シルフィスは戸惑った。あんなに立派な人が自分のようなデビューしたての小娘を相手に選ぶとは思えなかったからだ。だけど、同時に嬉しかった。初恋の相手の妻になれるかもしれないのだ。

　やがてそれは期待に変わっていった。

　アルベルト自身もシルフィスを特別に扱っていたように思う。社交が好きではないようでめったにパーティに出てこないが、少ないその機会に会った時は必ず声をかけてくれたし、ダンスにも誘ってくれた。それはレオノーラも同様だったが、アルベルトが話しかけるのはもっぱらシルフィスの方だ。

「アルベルト様はとても素敵な方よね」

　年に一度行われるディーステル家のパーティから帰ってきた後、シルフィスがうっとりと頬を染めてそう言うと、姉のレオノーラは眉を顰めて言った。

「私は何だか苦手だわ……無表情で冷たそうで」

「お姉様ったら。そんな方じゃないのに」

厳格だが本当は優しい人であるのをシルフィスは知っている。ただ彼の場合、気にかける範囲がごくわずかな身近な人に限られるだけだ。そして自分はどうやらその中に入っているらしい。雛の秘密を共有しているからだろう。

「まぁ、私たちに気を使ってくださっているのはわかるわ。特にシルフィスには」

口を尖らせる妹に、レオノーラは苦笑して言った。

レオノーラが言うように、アルベルトはコリンソン伯爵の姉妹には自分にまとわりつく女性たちに対するような冷淡な態度は取らない。レオノーラには極めて礼儀正しく、そしてシルフィスにはやや親しみのこもった態度を見せる。彼女が面白いことを言えば、稀にだがあの微笑みさえ浮かべることもあった。

『私のことはアルベルトと呼べ』

と、名前で呼ぶことを許した女性も社交界ではシルフィスだけだった。

コリンソン伯爵の次女は別格なのだと誰もが思ったし、シルフィス自身もそう感じ始めていた。

先代と父との結婚の約束があるからなのかもしれない。将来の結婚相手だから特別に扱っているのかもしれない。けれどシルフィスはそれでも構わなかった。恋い焦がれるアルベルトの妻になれるのなら。彼の家名を名乗り、彼の子供を産み、彼の傍で一生暮らせるのならば。

シルフィスがアルベルトに嫁ぐ。周囲もそう思っていたし、シルフィスも期待していた。……いや、信じて疑わなかった。

――それがすべての間違いの元だったのに。

再び巡ってきたディーステル家主催のパーティを間近に控えたあの日。レオノーラと共に父親の書斎に呼ばれてこう言われた瞬間、すべては砕け散った。

「ディーステル伯爵から我がコリンソン家に婚姻の申し出があった。ディーステル家に嫁ぐのは――レオノーラだ」

初めてアルベルトと出会ってから一年半。シルフィスは十七歳になっていた。

――ディーステルに嫁ぐのはレオノーラ。

その言葉を聞いて姉妹のどちらがより驚いたのだろうか。

衝撃に頭の中が真っ白になったシルフィスの視界の片隅で、隣にいるレオノーラの顔がさっと青ざめるのが映った。彼女も今初めてそれを知ったのだ。

「……なぜ？　だって、ディーステル伯爵家にお嫁に行くのは……」

先に衝撃から立ち直って父親に問い正したのはレオノーラだった。

「伯爵家に行くのはシルフィスだったはずです。私は婿をとってこのコリンソン家を継いでいく。そういう話だったじゃないですか。そのために今まで……！」

「事情が変わったのだ」

父のコリンソン伯爵は目を細めてレオノーラを見て言った。

「レオノーラがディーステル伯爵家に嫁ぎ、この家はシルフィスに婿をとらせて継がせる」

「何ですって……？」

「これはもう決定したことだ」

「お父様！」

シルフィスは二人の会話を呆然と聞いていた。

……お姉様がアルベルト様に嫁ぐ？　そして私は別の男を婿として迎えることに……？

「……ど、う、して？」

シルフィスは喘ぐようにつぶやいた。うまく呼吸ができなくてそれは小さな音にしかならなかったが、二人の耳には入ったらしい。父親の視線がシルフィスに向き、それからふっと逸らしながら答えた。

「ディーステル伯爵からの要請だ。私には逆らえん」

「……アルベルト様の……？」

ガツンと頭を殴られた気がした。

彼がレオノーラを選んだ？　自分ではなくて……？

確かに先代との約束は『コリンソン伯爵の娘』。娘は二人いて、どちらを選ぶかはアルベルトの気持ち次第だ。妹を嫁がせ姉が婿をとって家を継がせるというのはコリンソン側の事情でしかない。そして力関係からいってディーステル伯爵の要請を断ることはできない。アルベルトがレオノーラがいいと言ったなら、彼女を差し出すしかないのだ。

けれど……！

「嘘です！」

悲鳴のような声で叫んだのはレオノーラだった。

「ディーステル伯爵が私を選ぶわけありません！　だってあの方は……！」

「もう決めたことだ。お前はディーステル家に嫁ぐ。逆らうことは許さん」

「本当にディーステル伯爵が言ったのですか？　私にはとても……」

「私の言葉を疑うのか？」

「……疑う理由がありますから」

「レオノーラ！」

にらみ合う父と姉をよそに、シルフィスはおぼつかない足取りで書斎から離れた。二人の顔をこれ以上見ていられなかった。一刻も早くここから離れたかった。けれど、廊下をふらふらと進む彼女の目は何も見えていない。何も考えられず、傷ついた動物が傷を癒すために巣に戻ろうとするかのように、ただただ衝撃の重さだけを抱えて本能的に一人になれる場所を求めて足を動かしているだけだ。

……気が付くとシルフィスは自分の部屋の扉の前に立っていた。

ぼんやりとマホガニー色のその扉を眺める。ああ、戻ってきたのだ……そう思った時、不意に意識を覆っていた衣がはがれるのを感じた。

アルベルトがレオノーラと結婚する。彼は自分を選ばなかった……！

シルフィスはこみ上げる嗚咽に耐えられず部屋に飛び込んで、ベッドに身を投げ出した。

「……嫌、嫌、嫌ぁ……！」

どうして？　どうして妻に選ばれたのは私ではないの……？

ずっと自分が彼の傍にいられるのだと思っていた。彼と結婚して、彼の子供を産んで、二人で生きていくのだと信じていた。それなのに、ディーステルの花嫁になるのが自分ではないなんて。その上、レオノーラがアルベルトと結婚して、彼の子供を産み育てていくのをシルフィスは義妹として間近で見なければならないのだ。

それは耐え難いことだった。けれどシルフィスが一番耐え難かったのは、アルベルトが自分ではなくレオノーラを選んだという事実だった。

……どうして？　私じゃダメなの……？

嘆いて、泣いて、時々泣き喚きすらして、どれくらい経っただろうか。

すっかり窓の外も部屋の中も暗くなっていた。けれど明かり一つ灯さずに暗闇の中ベッドで膝を抱えていたシルフィスは、ふと扉の外から自分の名前を呼ぶ声が聞こえた気がして顔を上げた。

「シルフィス。いるんでしょう？」

レオノーラだ。父親との話し合いが終わったのだろうか。アルベルトとの婚約の話が……。鼻がつんとなって新たな涙が頬を流れる。今は誰よりもレオノーラには会いたくなかった。

「……一人にして。お願い！」

「シルフィス……」

レオノーラはシルフィスのアルベルトに対する気持ちを知っている。だからだろう、しばらく逡巡した後、扉の向こうで言った。

「わかったわ。……ねぇ、シルフィス。お父様はああ言ったけれど私は何かの間違いだと思うの。だから諦めてはダメよ。私も諦めないわ。だって私は……」

「お願いお姉様、一人になりたいの」

涙声でそう言ってレオノーラの言葉を遮ると、扉の向こうではしばしの沈黙があった。

やがてレオノーラは「わかったわ」という言葉を残して立ち去った。

シルフィスは再び顔を膝にうずめた。心配をしてくれるレオノーラには悪いことをしているのはわかっていたが、そのときシルフィスには彼女のことを気遣う余裕はなかった。

アルベルトに選ばれたレオノーラ。聡明で優しいレオノーラ。誰が見てもディーステル家にふさわしいのはレオノーラだろう。シルフィスはこうなって初めてそのことに思い至っていた。

シルフィスも貴族の令嬢としては及第点だが、幼い頃から後継者として育てられたレオノーラと比べれば甘さは否めない。普通の貴族の夫人としてはそれでもいいが、ディーステル辺境伯の伴侶ともなれば、小国の王妃にも等しい立場だ。二人を並べてみたならば、普通の令嬢としての教育しか受けていないシルフィスより、当主たるべく教育を受けてきたレオノーラの方がディーステル伯爵家にはふさわしいのは明らかだった。

……きっとアルベルトもそう思っていたのだろう。だから妻としてレオノーラを選んだのだ。

考えてみれば雛を戻そうとして木に登ろうとしたことをはじめ、シルフィスはディーステル伯爵家の嫁にふさわしい行動を何一つ取っていない。コリンソン家とディーステル家の約束に胡坐《あぐら》をかいて、ただ無邪気に彼を慕い、まとわりついていただけ。

彼がシルフィスに特別優しかったのは、将来義妹になる予定だったことと、アルベルト本人もシルフィスのことを妹のように感じていたからなのだろう。それをずっと勘違いしていたのだ。

「妹だなんて……！」

けれど何とも思われていなかったことがわかった今もなお、シルフィスはアルベルトが恋しかった。彼がレオノーラを選んだのならば諦めなければと思いながらも、どうしても思い切ることができなかった。

新たな涙を流しながらシルフィスは願う。レオノーラの言うとおり、本当に何かの間違いであってくれれば。もしくは悪い夢であってくれれば。一晩寝れば何もかも元通りであれば、と。

……けれどそんな淡い願いはすぐに砕かれる。

三日後――アルベルトとレオノーラの婚約が正式に告示されたことを彼女は知った。

＊＊＊

「シルフィス」

過去の記憶を彷徨《さまよ》っていたシルフィスは、不意に呼びかけられてビクッと肩を震わせた。

恐る恐る扉の方に視線を向けると、恐れていた人物――アルベルト・ディーステル辺境伯がそこにいた。姉レオノーラの婚約者にして、シルフィスの初恋の相手だ。シルフィスが物思いに沈んでいる間に、いつの間にか部屋に入ってきたようだった。

アルベルトの格好は自分の屋敷内だからなのか、白いシャツと紺のトラウザーズだけという出で立ちだ。そのシャツの胸元がはだけているのに気づいてシルフィスは慌てて視線を外す。その間にアルベルトはさっと距離を縮めてベッドの脇、すぐ目の前に来ていた。

「目覚めたようだな。気分はどうだ？」

「……大丈夫です」

アルベルトの方は見ずに答える。けれどそれをアルベルトは気に入らなかったようだ。顎に手をかけられて、強引に顔を向かされた。

「まっすぐ私の方を向きなさい」

その手の感触に、そして間近で見る彼の姿に、否応なく心が震えた。

……愚かな自分の心はまだ忘れていない。諦めていない。そう思うことすら自分には許されていないのに。

シルフィスは顎を取られたまま懇願した。

「お願いです。伯爵様。私を修道院にお戻しください。私は……」

「伯爵ではなく、名前で呼べと言ったはずだが？」

シルフィスを見下ろすアルベルトは眉を上げて淡々と言う。だがその口調にシルフィスは苛立ちをかぎ取っていた。ごくりと息を飲んで、彼女は戦慄《わなな》く唇を動かす。

「……アルベルト様。父と先代様のお約束のことはどうかお忘れください。共に亡き身。もう、縛られる必要はないのです。あなたなら……いくらでも妻になりたいと願う女性は……」

「残念ながら他の女性では駄目だ。できるならとっくにそうしているさ。だが、王が勧める縁談を断る理由として散々コリンソンの名を挙げていた手前、勝手に他家の女を選ぶわけにはいかない。それなら王族の娘を娶《めと》れと言うに決まっているからな」

その言葉は鞭《むち》で叩かれたかのようにシルフィスに響いた。自分はレオノーラの代わりすらなれない、義務や都合でしかないのだと悟る。ああ、だから、彼はシルフィスをここに連れてきたのだ。

王や重臣たちからアルベルトに縁談が舞い込んでいるのは知っていた。だが、ディーステル家の権力を取り込もうとしている彼らの娘を娶れば、彼らにこの領地へ介入する口実を与えてしまうことになる。それ故、代々ディーステル家の当主は中央とは距離を置き、この周辺地域の有力な貴族の娘から伴侶を選んできた。独立性を保つためにも、地域の結びつきを強化するためにもそれが一番望ましい方法だったからだ。

……だからこそ、先代はコリンソン家の娘をアルベルトの伴侶として選んだのだ。でもそれは初めからわかっていたことだ。……なのにどうしてこんなに胸が苦しいのだろう。

シルフィスはぎゅっと目を瞑ってから、再び目を開けた。

「知られる前に結婚してしまえば、もう王とてどうすることもできないでしょう。コリンソンの名にこだわる必要はありません。あなたは……自由に伴侶を選べるのです」

言いながらも自分のその言葉一つひとつが胸に突き刺さる。けれど言わねばならなかった。彼のために。

「もう、終わりにしましょう。あの口約束は無」

「言いたいことはそれだけか」

シルフィスの言葉を遮ってアルベルトは言った。

「では私も言おう。コリンソン伯爵と父との約束ではない。これはすでに私とコリンソン家との約束だ。君の父上はディーステル家に娘を差し出すと約束した。私が娶るのはコリンソンの娘でなくてはならない。コリンソンの血を引く娘はもはや君一人。名を捨てようとそれは変わらない。それが私の結論だ。それに、だいたい、私は君が修道女になることを許した覚えはないぞ。……君は私のものだ」

不意に声に鋭さが加わった。

「修道院には帰さない。二度と。君が仕えるのは神ではない――私だ」

かつて雛を巣に戻した優しい手が、顎から離れシルフィスの手を捕らえてベッドに押し倒した。

3　罪と贖罪と

視界が回り、再び天井が目に入ったと思ったらアルベルトにのしかかられていた。アルベルトの大きな手が柔らかなリネンのベッドにシルフィスを縫いつける。もがいてもビクともしないその戒めに、シルフィスは怯えた。

「ア、アルベルト様。お願いです。おやめください！」

シルフィスは未婚だが、この期に及んでアルベルトが何を望んでいるのか知らないほど無知ではなかった。いずれは他家に嫁ぐ身として最低限のことは教えられていたし、修道院には元娼婦だったシスターもいて、身体が大人に変わってくる年齢の孤児たちにその手の教育を施している場面に立ち会ったこともあった。だからこの先に何があるのか、おぼろげながら理解している。けれど、それを承知するわけにはいかないのだ。

「お願い、やめてください、お願……あ、や、やめっ」

だがシルフィスの必死の懇願をよそに、アルベルトは片手で彼女の抵抗を封じると、もう片方の手を伸ばしてシルフィスのナイトドレスのリボンを解いてしまう。驚いたことにナイトドレスは前開きで、胸元のそのリボンだけで留められていたものだった。シュルッという衣擦れの音と共に支えを失い左右に滑り落ちた前身頃《まえみごろ》からシルフィスの形の良い胸が覗いた。さらけ出された胸を見つめるアルベルトのブルーグレイの瞳が劣情のためか色濃くなる。

「い、いやっ！」

自分の姿を見下ろしたシルフィスは悲鳴を上げた。ふっくらとした膨らみが晒されていたのだ。立ち上がりかけた先端はツンと上を向き、シルフィスの呼吸と共にふるふると扇情的に揺れている。修道服姿の時には着用していたはずのシュミーズはそこになく、シルフィスが身に着けているのはドロワーズのみだった。そして隠すという点ではナイトドレスもすでに用を足さないものとなっている。いや、肩紐のレースだけが残っている状態はかえって淫らですらあった。

シルフィスは自分のその姿に衝撃を受けた。夫でもない相手に、しかも修道女見習いである自分がこんな姿を晒すなんて許されることではない。

「は、放してください！」

シルフィスは頭上で押さえつけられている手を放そうと激しく抵抗した。

だが、外気に晒されているせいなのか、それとも見られているからなのか、もがいたことで更に揺れる胸の頂がみるみるうちに張りつめていく。ぷっくり膨らんだそれに誘われるように、アルベルトは手を伸ばした。

「ひぁっ」

大きな手で胸の膨らみを掴まれたシルフィスは息を飲んだ。生まれて初めて異性に素肌を触れられ、未知のその感触にざわりと肌が粟立つ。アルベルトはシルフィスの胸の柔らかさを堪能するかのように白い肌に指を食い込ませて揉みしだいた。揉まれながら膨らんだ薄紅色の頂を指で挟まれ、こねくり回されて、ぴりっとしたものが背中を走り抜ける。

……これは何？

初めての感覚に戸惑うシルフィスをよそに、彼女のお腹の奥がざわつき始めた。掬い上げるように胸が揉まれるたびに、キュキュッと頂が指で弄ばれるたびに、熱がそこに集まっていく。その熱を持ち始めた部分からじわりと何かが染み出していくのを感じて、シルフィスは自分の身体の反応に怯えた。

「いやぁ、触らないで……！」

必死で逃れようとする。けれど鋼のような戒めは緩むことはなく、かえって男の欲望を煽るだけだった。アルベルトは片方の乳房を手で弄びながら、シルフィスのもう一方の胸の頂を口に含んだ。

「……ひっ」

温かく濡れた感触に包まれて、シルフィスの口から小さな悲鳴が漏れた。慌てて見下ろした彼女の目に飛び込んできたのは、胸に吸い付いているアルベルトの頭。赤ん坊のためのものだと思い込んでいたその部分に大人の男性が吸いついていることにシルフィスは愕然とし、思わず抵抗を忘れていた。

ざらついた舌で舐めあげ、唇に挟み、歯を立てられる。時折小さな乳輪ごときつく吸われて、シルフィスはそのたびにビクンと身を震わせた。その間ももう片方の手は休むことなく、絶え間ない刺激をシルフィスに送り続けている。ズキズキと痛いようなむず痒いような感覚がお腹と腰を中心に広がっていった。

「……ふぁあ、んん、だめ、やぁ……んんっ……！」

胸の頂が痛いくらいに疼いていた。その張りつめた突起を舐めしゃぶられ甘噛みされ、そして指でぐりぐりと押しつぶされ、シルフィスは頭をのけぞらせながら甘い悲鳴を上げる。そうすることで更にアルベルトに自分の胸を差し出すことになるとも知らずに。アルベルトは捧げられたものを遠慮なく貪った。

やがて両方の胸を同時に責められ続けたシルフィスが息も絶え絶えになる頃、ようやくアルベルトが顔を上げた。長い責め苦の終わりに安堵の息を吐き視線を下げたシルフィスは、そこに欲望に燃えるブルーグレイの瞳と淫らな姿態を晒している自分の身体を認めて硬直した。アルベルトの口に含まれた乳房は頂を中心に彼の唾液でぬらぬらと濡れて光っている。もう片方の胸はアルベルトの手が我が物顔に摑んでいて、白く柔らかな肌に男の浅黒い指が埋まっていた。そしてそのどちらの胸の頂も、いまだかつて見たことのないくらいに尖り、シルフィスの呼吸に合わせて淫らに揺れている。

「……あ、いやっ……！」

見ていられなくて顔を逸らす。けれどそんなシルフィスの無防備な首筋に舌を這わせながらアルベルトは手を下に滑らせて、ドロワーズの中に侵入した。

「ひっ……！」

両足の付け根を長い指になぞられ、シルフィスの身体がビクンと跳ねた。その指はシルフィスの花弁を撫でるように確かめるように動いていく。ぬるりとした感触がした。

「濡れているな」

シルフィスの肌の上でふっとアルベルトが笑った。シルフィスの顔にかぁと熱が集まる。アルベルトの指が蜜口で戯《たわむ》れに動くたびに、ぬちゃっという水音が下半身から響いていた。それだけではない、新たな蜜がそこに染み出してきているのがわかる。その蜜にまみれた指に蜜壺の浅い部分を浅くかき回されて、恥ずかしさのあまりシルフィスは逃れようと下半身をくねらせた。不思議なことにかき回されている浅い部分よりもっと奥が切なく疼いていた。

「ああ、ここだけでは足りないのか？」

　アルベルトは蜜壺をかき混ぜる指はそのままに、親指で秘裂のほんの少し上にある蕾を探りあて、ぐりっと擦った。途端に甘い痺れが全身を駆け上がり、シルフィスの腰がびくんと跳ね上がる。

「ひゃっ、あ、あっ！」

　充血し立ち上がりかけていたその花芯を親指が弄《いじ》る。クルクルと撫でられたり、押しつぶされたりする。そのたびにシルフィスはベッドの上でビクンビクンと腰を浮き上がらせた。その間も指でくちゅくちゅと入り口をかき回され続け、絶えることなく奥からトロトロと蜜が零れていた。

「ひっ、あ、や、どうして、そこ、ばかりっ」

　執拗に蕾を弄られて、涙目でシルフィスは抗議する。お腹の奥が痛いくらいに疼きを訴えていた。その場所は駄目だと思った。そこを弄られるとおかしくなりそうだ。

　シルフィスの訴えに耳朶《じだ》を食《は》んでいたアルベルトの口の両端がつり上がった。

「もっと他の部分にも欲しいということか」

「ちがっ……」

　けれど抗議も空しく、シルフィスの秘部から離れた手がリボンを解き、あっという間にドロワーズが剝ぎ取られてしまう。そしてむき出しになった下半身に彼女が狼狽える間もなく、アルベルトの長い中指はつぷりと音を立てて蜜壺の中に差し込まれた。

「ひぃ……あ、やぁ！」

ぴりっとした痛みに襲われてシルフィスは息を詰める。それから自分の中に他人の一部が入り込んでいることに気づいて頭の中が真っ白になった。ドクドクと熱を帯びて疼くその中に、差し込まれた異物――その形を、それが指であることを彼女の胎内が克明に伝えてくる。

「やはりキツイな……」

慣らすようにゆっくり抜き差しをしながらアルベルトがつぶやく。濡れているとはいえ、異物を押し戻そうとシルフィスの胎内が指をぎゅうぎゅう食い絞めてくる。

「やめて……、抜いて、ください……」

指が動くたびに内股をぴくんと震わせながらシルフィスは懇願する。嫌なのに、中を確かめるように壁を擦る動きに、なぜかお腹の奥がきゅんと痺れ、足の先が自然と丸まった。

「慣らさなければ君が辛いだけだ。我慢しろ」

アルベルトはそう言って胎内を探りながら、シルフィスの鎖骨に吸い付き歯を立てる。シルフィスが足の間に気を取られているうちに、彼は彼女の白い無垢《むく》な肌に無数の所有の印を刻み込んでいた。きつく吸い上げ、また一つ印をつけるとアルベルトは顔を上げ、白地に咲いた赤い花びらに愉悦の笑みを漏らした。そうして、指で膣を犯されて涙目で喘ぐシルフィスの色づいた唇を奪う。

「んぅ……！」

うっすらと開いた唇から舌が侵入して、シルフィスの舌に絡みついた。吐息ごと貪られる。

ざらついた舌に根元を扱《しご》かれ肌が粟立つ。歯列をなぞられ、上あごを撫でられると、なぜか背中にぞわぞわしたものが走った。それと共に手足が痺れて力が抜けていく。ぴったりと重なっている口から唾液を流し込まれ、二人の舌が擦れ合うたびに咥内でぴちゃぴちゃと濡れた音が漏れていた。

「ン……んっ……ふ」

今や重なった唇と、アルベルトの指が犯している蜜壺の両方から粘着質な水音が響いている。けれどシルフィスは、咥内を犯す舌に、蜜壺を探る指の動きに翻弄されそれを恥ずかしがる余裕すらなかった。壁を丹念に探っていた指があるざらついた一点を擦りあげる。

「……んうっ……!?」

シルフィスの腰がビクンと跳ね上がり、思わず漏らした悲鳴がアルベルトの口に中に吸い込まれていった。そのシルフィスの反応に再びアルベルトの指がその部分に触れる。とたん、再び頭からつま先までびりっと痺れるような何かが走り抜け、シルフィスの腰がビクンと震えた。唇を離してアルベルトが笑う。

「ここか」

「……はぁんっ……！　あ、な、なん、で……？」

そのざらざらした部分を指がかすめると、反応せずにはいられない。抑えようとしても勝手に腰が浮き上がる。奥が切なく疼き、どんどん蜜が零れていく。ぐちゅんと指の抽挿に合わせてその蜜が掻きだされ、シーツと下肢を汚していっているのがわかった。けれど、どうして自分の身体がそんなふうになるのかわからず、たった指一本で翻弄されることにシルフィスは怯える。

「ここは君の感じるところだ。ここをこうすると……」

「……っ、ひゃ！」

シルフィスの腰が再びビクンと跳ね上がる。

「胎内がびくっと震えて私の指を締め付ける。けれど、次の瞬間には柔らかくほどけて良い具合になっていく。……指を増やすぞ」

そう言って、浮き上がった腰がもとに戻って力が抜けた瞬間にまた別の指が差し込まれた。

「……ふぁ……」

シルフィスは息を詰めた。一番初めに指を受け入れた時ほどの痛みはない。けれど異物感はむしろ増していた。

二本の指が動き始める。差し込まれ抜かれ、また押し込められる。ぐちゅんぐちゅんと激しい水音がした。わざと音を立てるように動いているようだ。そして次第に太さに慣れてくると、今度は指が中を広げるようにバラバラと別々に動き回った。

「いやぁ、あ、あ、んん」

感じるところを執拗に指で探られ、別の指で壁を擦られる。上半身は肌を味わっていたアルベルトの唇が再び胸の蕾を捕らえ、吸い付きざらついた舌で突起を舐めしゃぶっていた。時折痛いくらいに張りつめたそれに歯を立てられ甘噛みされる。上と下と、弱い部分への同時の責めに、シルフィスは気が狂いそうになっていた。痛いくらいに子宮が疼く。

「……あ、は、はぁん、あン……」

指が三本に増やされた。その太さにさすがに入り口が引きつれたような痛みを訴える。だが、胸の突起を歯で転がされ、それに気を取られている間に、解され蜜を湛えたそこは三本目の指も受け入れていた。

いつの間にか手の拘束が外されていた。シルフィスは無意識にその自由になった手でシーツを摑んで甘い責め苦に耐える。アルベルトを押しのけようという考えは浮かばなかった。ただただ身体を襲う未知の感覚に翻弄されるだけだ。

蜜壺に三本の指を食ませながら、蜜をまぶされた親指が花芯をいたぶり始める。

「ひぁ！　……あ、あ、ああ！」

先ほどより充血し敏感になったそこを刺激され、シルフィスはたまらず背中をのけぞらせた。

「いやぁ、そこは駄目、駄目え……！」

涙を流しいやいやと頭を振る。けれどアルベルトは構わず花芯をぐりぐりとすり潰し、胎内に差し入れた指でシルフィスの感じるところを嬲っていく。シルフィスの腰が幾度となくびくんびくんと引きつった。

おかしくなりそうだった。燃えるように子宮が熱くなり、何かが奥からせり上がってきて彼女を押し流そうとしている。

「いやぁ、放して、やめてっ。おかしくなる。おかしくなっちゃう……っ！」

未知の感覚に恐怖を覚えてシルフィスは泣き声を上げた。

「すごい締め付けだ。イきそうなんだな」

シーツを掻きむしって激しく頭を振る彼女の胸から顔を上げたアルベルトが淫靡な笑みを浮かべた。

「いいぞ、このまま淫らに達するがいい。おかしくなって、私だけしか目に入らなくなればいい」

「あ、あっ！」

手の動きが速くなった。掻きだされ、かき混ぜられた蜜が白く泡立っていくほどだ。ぐじゅぐじゅと激しい水音が鳴り響く。それだけでもたまらないのに、剝きだされた花芯を親指でひっかくように擦りあげられ、胸の蕾を歯で転がされて、慣れない身体に過ぎた快感を与えられ、急速に上りつめていった。

目の前が白く白く染まっていく――。

「あ、あ、あ、ああ、あああああ！」

悲鳴にも似た嬌声を響かせて、背中を反らしながらシルフィスは絶頂の波に飲み込まれていった。

「イッたか……」

目を見開いて天井を見上げ荒い息を吐きながら、時折ビクンビクンと震えるシルフィスを目を細めて見下ろしながら、アルベルトはつぶやいた。きゅうと指を締め付けるシルフィスの胎内もそのことを如実に伝えている。うねり、絡みついて彼の指を奥へ奥へと引き込もうとしているその様は、初めて絶頂に達したとは思えないほど淫らな反応だった。

くっとアルベルトの口の両端が上がった。

「処女なのにたったこれだけで達するとは、淫乱な身体だな」

その言葉は陶然《とうぜん》としていたシルフィスに鞭のように襲い掛かった。

「駄目と言いながら私に触れられてこんなに蜜をたらして、甘い声を出して……。これで修道女とは笑わせてくれる。こんな淫らな身体を持つ修道女などいまい」

――修道女。

冷や水を浴びせられた気がした。羞恥と罪の意識が嵐のように襲ってくる。自分は見習いとはいえ、修道女だ。神に仕える身でこんなふうに触れられて声を上げるなんて……！

「嫌ぁ！　やめて、言わないで……！　ん、んんっ……！」

蜜壺から指が引き抜かれ、その感触に思わず声が漏れた。シルフィスは自分の喉をついて出てきた甘い嬌声に目の前が真っ暗になった。

「いい声で啼いていたな」

「や、やめてください！」

シルフィスは彼の胸に手を置くと、満身の力を込めてアルベルトをどけようと突っ張った。

「私は修道女になるのです。両親と姉への償いに一生神に仕えると決めたのです！　だから、お願いです、こんなことはもうおやめください！　私を……私を、もう解放して……！」

最後は悲鳴のような声になった。忘れられぬ思慕。そこからもう解放されたかった。神に仕えることで少しずつ風化していくだろうと思ったのに、こんなふうに目の前に姿を現して、再びその思いを引きずり出されて。……こんな苦しさからはもう解放されたかった。

だが……。

「解放だと？　ふざけるな」

厳しい声が飛んだ。見上げると、そこには先ほどまでの愉悦の笑みを浮かべていた男はおらず、ブルーグレイの瞳を静かに燃え立たせシルフィスを見下ろすアルベルトがいた。シルフィスの言葉の何かが彼の逆鱗に触れたのだ。

「一生神に仕えるだと？　そんなことを許した覚えはない。解放？　私からか？　だがあいにくと私は君を解放する気などない。奪われたものを取り戻すまでは」

「奪われた……もの……」

それに思い当たってシルフィスはぶるっと震えた。自分が彼から奪ってしまったもの――それは彼の美しい婚約者レオノーラ。

「言ったはずだ。ディーステル伯爵家の未来だ。私はそれをコリンソン家に……君に奪われた」

脳裏にレオノーラの姿が浮かぶ。シルフィスとよく似た……けれどもっと美しく優しく聡明だった姉の姿が。

「君は私に償わなければならない。コリンソン伯爵家最後の一人として」

アルベルトは手を滑らせてシルフィスの下腹部――子宮のところに手を置いて告げた。

「修道院には二度と戻さない。君はここにいて、私に抱かれて私の子供を――ディーステル伯爵家の跡継ぎを産む」

「……こ、子供……？」

「そうだ。それが君の私に対する償いだ。……嫌とは言わせない。私は君のせいで婚約者を失ったのだから」

息を飲む。その瞬間、シルフィスの心の中に冷たい空虚な思いが広がった。次いで去来したのは諦念《ていねん》の思い。

――レオノーラお姉様。

シルフィスの脳裏に、今度は泥まみれになったレオノーラが浮かんだ。最後に見た彼女の姿だ。

『待っててね』

ドア越しに聞いた優しい労りにみちたレオノーラの最後の言葉が耳を打つ。

……何もかも、シルフィスのせいだった。レオノーラと両親が死んだのも。

シルフィスの目に涙が浮かび、ハラハラと零れていく。……シルフィスは過ちを犯し、もう取り返しがつかない。そして彼女はアルベルトに何一つ償ってはいないのだ。これはその代償だ。

押しのけようとしていた手が力を失い、シーツに落ちた。

それを承諾と受け取ったアルベルトの顔にふっと笑みが浮かんだ。だがそれはシルフィスの好きだった微笑みではなく、獲物を目の前にした獣のような笑みだった。

「良い子だ。私の子を孕め、シルフィス」

シルフィスは目を閉じた。眦から涙が流れていく。

……胸が痛かった。アルベルトの腕に抱かれることを夢想したこともあるが、それはこんな形ではない。償いとして子供を産むために抱かれることではなかった。……けれどこれも自業自得だ。

天蓋のカーテンが下ろされた。ついでとばかりに腕に引っかかっていたナイトドレスの肩紐も外され、床に落とされていく。シルフィスは今や全裸でベッドに横たわっていた。胸の前で手を組み、祈るような姿は、まるで異教の神に捧げられた生贄《いけにえ》の乙女のようだ。だが、胸の先はぷっくりと膨れ上がり、閉じた足の間は彼女自身が生み出した蜜にしとどに濡れている。その、無垢さと淫靡さをまぜ合わせたような姿はアルベルトの欲望を更に煽った。

「シルフィス、見るんだ」

のろのろと目を開けたシルフィスの目に飛び込んできたのは、ベッドの上に膝立ちしたアルベルトが、着ているシャツを脱いでいる姿だった。シルフィスは息を飲み、こんな時なのに次第に露わになるその裸身に目を奪われた。そこには鍛え上げられた、彫像と見紛うばかりの逞《たくま》しい肉体があった。

貴族の男性は皆たしなみとして剣術は習う。だがそれはあくまでたしなみであって、実際誰かと剣を合わせる場面はほとんどない。隣国と争いがあったのはかなり前のことで、ここ数代は平和を保っているからだ。だが、ディーステル家は違う。隣国と国境を接する領地を持つディーステルは、万が一隣国と事が起これば真っ先に戦場となる。だから代々のディーステル家当主は平和な時代であっても鍛錬を怠らない。有事において、領地と、ひいては国を守るために周辺の貴族をまとめ上げ戦闘の指揮を執る役目を国から与えられているからだ。そのために次期当主となる者は、幼い頃から職業軍人並みの訓練を受けて育つ。アルベルトも例外ではなく、噂によるとかなり優れた剣の使い手らしい。

その鍛え上げられた肉体が目の前にあった。所々傷跡があるのも、その名残だろう。当主となった今も鍛錬を欠かしていないことは、その締まった男性美にあふれた身体が物語っていた。その芸術品ともいえる身体にシルフィスははしたなくも見とれてしまう。未婚の貴族の令嬢なら——修道女であればなおのこと、目を背けなければならないのに。

だが、アルベルトがトラウザーズを脱ぎ捨てた後、下腹部に目をやったシルフィスはそこに猛った男性自身を見つけて「ひっ」と短い悲鳴を上げた。孤児院の子供たちの世話をしていたから、男性が自分たち女性とは違う身体の構造をしているということは知っていた。けれど、今目の前にあるものは孤児院の男の子たちとはまるで違っていた。ずっしりと重そうな男性器が大きく太く膨張し、まるで別の生き物のように反り返っている。シルフィスは怯えて後ずさった。

これが大人の男の人なの？　あれが入るなんて無理だ。壊れてしまう。

けれどすべてを脱ぎ去って全裸になったアルベルトが青ざめるシルフィスを見やって言った。

「怯える必要はない。すぐに慣れる」

そして、ベッドの上を後ずさるシルフィスの足首を摑んで引き寄せる。足を割られ、大きく広げさせられて、シルフィスの口から悲鳴が上がった。

「い、いやぁ！」

アルベルトに女の大事な部分すべてを見られていることに強い羞恥を覚えて、シルフィスは摑まれた手を外そうと足をバタつかせた。けれどまるで枷《かせ》のようなその手はますます彼女を引き寄せようとする。それならせめてと、隠そうと伸ばした手は、足の間に身を落ち着かせたアルベルトに阻《はば》まれた。

「隠すな」

「やめて、見ないでぇ！」

露わにされているそこは、先ほどアルベルトの指で解されてぐずぐずに蕩《とろ》けきっていた。未だに奥は疼き、それに合わせて蜜をまぶされた入り口も何かを求めるようにヒクヒクと震えている。その淫猥さは目を見張るほどだろう。そうさせたのはアルベルトだが、そんな場所を彼の目に晒したくはなかった。けれど、アルベルトはもがくシルフィスの太腿を押さえて動きを封じると、その内股の柔らかな部分に唇を押し当てて言った。

「見られて恥ずかしいか？　だが、恥じらう必要はない。ここは私のものだ。それに……その羞恥もいずれは快感に変わるだろう」

それから身をかがめて、シルフィスのそこにふっと息を吹きかけて言った。

「ここを私専用に躾けてやる。私のことしか考えられないように……」

「ひっ！」

冷たい風を感じたと思ったら、次の瞬間、生温かい何かが蜜口を這うのを感じてシルフィスは喉の奥で悲鳴を上げた。慌てて視線を下ろした彼女の目に飛び込んできたのは、自分のそこに顔をうずめているアルベルトの姿。這っているのは舌だと気づいて羞恥に気を失いそうになった。

「いやぁ。やめてください！　そんなところ、汚い……！」

花弁に舌を這わせ蜜を舐めながら、アルベルトは言った。

「言っただろう。私のものだと。自分のものを汚いと思うわけがない」

「いやぁ、そこでしゃべらないでっ」

息が吹きかけられるたび、唇が動くたびに敏感なそこに細かい振動と快感が走り、シルフィスは目に涙を溜めながら頭を横に振った。奥からどっと蜜が溢れだした。それを音を立てて啜られ、舐めとられ、快感と羞恥にシルフィスの全身が赤く染まる。

「あぁ、ああ、ああ、だめ、だめぇ！」

指より舌の方がより強い快感を与えてくるようだ。アルベルトの舌が動くたびにシルフィスは泣きながら身を震わせ、腰をひくつかせた。

「あとからあとから蜜が溢れ出てくるな」

「ふぁ、あ、んん、あ、あ、ああ！」

蜜を湛えた入り口をねっとり舐められる。それから、そこに唇が埋まり、尖った舌が中に入り込んで壁を擦り始めると、シルフィスはのけぞって身悶えた。気が狂いそうだった。

――天蓋の中では、びちゃびちゃと蜜を舐め啜る音と、シルフィスの喘ぎともすすり泣きともつかない声だけが響いていた。

やがて、アルベルトが顔を上げた時には、シルフィスは過ぎた快感で正体を無くし天井を見上げてただただ喘いでいるだけだった。そんな彼女に愉悦の笑みを漏らしたアルベルトは「もういいな」とつぶやき、シルフィスの両足を抱え上げて、口淫によって溶かされてすっかり蕩けきっているそこに、自分の猛った切っ先を押し当てた。

「私のものになれ、シルフィス」

シルフィスはハッとした。視線を下げ、そこに劣情の炎を燻《くすぶ》らせたブルーグレイの瞳と出会う。けれどその一瞬後、アルベルトに貫かれて悲鳴を上げた。

「あ、あああああ、いやぁああ！」

最初に襲い掛かってきたのは強烈な圧迫感だった。溶けきった入り口はアルベルトの先端を飲み込んでいく。だけどそこまでだった。隘路《あいろ》を押し広げられる激痛がシルフィスを襲う。

「痛ぁ……ああ、いやあ、痛いっ！」

あまりの痛みに目の前が赤く染まった。痛みがあるということは知識としては知っていた。けれど、これは想像以上の痛みだった。胎内がぎしぎしと軋みと悲鳴を上げる。息もできないくらいだった。

「……狭いな……」

アルベルトが顔を歪ませる。けれどその顔はどこか満足そうでもあった。

「……あ、ぐ……いぁ……」

「シルフィス。息を止めるな。深呼吸しろ」

唇をかみしめて痛みに耐えていたシルフィスはその言葉に従って、息を吸う。押し込まれるものに内臓を圧迫されてうまく深呼吸にはならなかったが、何とか喘ぐように呼吸する。すると少し痛みが和らいだ気がした。けれどその力がふっと抜けた瞬間を狙って、アルベルトは腰を進めた。

「ああっ」

儚い何かがぶつっと千切れるような小さな衝撃がしたかと思うと更なる痛みがシルフィ

スを襲った。アルベルトはその狭い部分を容赦なくこじ開けて、自分の猛ったものを奥までねじ込んでいく。

「……く、う……っ」

シルフィスは必死になって痛みを逃そうと喘ぐように呼吸を繰り返した。そのタイミングに合わせてアルベルトが腰を進めているのがわかっていながらどうすることもできない。やがてどんどん増してくる痛みに朦朧とし始めた頃、奥にたどり着いたアルベルトの動きがようやく止まった。臀部にアルベルトの腰が触れるのを感じて、シルフィスは自分と彼が完全に繋がったことを悟った。

「……これで、君は私のものだ」

そのつぶやきにシルフィスは目を閉じた。眦から涙が零れていく。

――とうとう、純潔を失ってしまった。神に純潔を誓った身なのに、アルベルトを受け入れてしまった。姉の婚約者だった人を。

破瓜《はか》の痛みより鋭いものがシルフィスの胸を襲った。けれどその痛みと罪悪感にそれ以上浸る暇はなかった。

「動くぞ」

という言葉と共にアルベルトが動き始めたからだ。ずるっと音を立ててゆっくり引き抜かれていく。そして先端だけ残して引き出した後、再び奥まで押し込められる。

「ふっ、くっ……」

シルフィスはその内臓ごと押し出されそうな感覚と痛みに涙を流しながら、目の前の身体に思わず縋って爪を立てた。

「う、動か……ないで……っ」

抜かれても押し込まれても激痛が襲った。先ほどまでの快感も疼きも今は遠く、ぎちぎちと狭い胎内を蹂躙される苦痛だけがシルフィスを支配する。

「苦痛は今だけだ」

アルベルトはうっすらと汗をかきながらそう言うと、ふと動きを止めて肉食獣のような笑みを浮かべた。

「そのうち君はこれを自ら求めるようになるだろう」

シルフィスは首を横に振った。こんな痛いものを自分から求めるだなんて信じられなかった。ありえないと思った。だが、動きが再開され、必死に痛みに耐えていると、本能だろうか痛みを緩和させるために胎内が再び潤ってきてアルベルトの抽挿をスムーズにしていく。

「ああ……はぁ……はぁ……」

そして慣れてきたのか、普通の痛みに変わってくる頃になると、不思議なことに痛みの合間に何か別の感覚が差し込むようになった。それはシルフィスの感じる場所をアルベルトの先端の太い部分がかすめる時であったり、奥に穿たれたまま腰を回されて、彼の恥骨に花芯が押しつぶされる瞬間であったり。彼を奥深く受け入れながら胸の先を吸われたり、歯を立てられたりした時にも、お腹の奥がきゅんと疼いて痺れるようなくすぐったいような感覚が広がっていく。

いつしかシルフィスの呻きは喘ぎに、そして嬌声に変わっていった。

「あ……あン、んんっ、ん、んあっ」

「ハッ、だいぶいい具合になってきたじゃないか」

ぐじゅんと繋がっている場所から水音と肌がぶつかる乾いた音が響いていた。

信じられないほど深く繋がっていた。シルフィスの足はアルベルトの肩にかけられ、それによって自然に浮いた腰に激しく打ちつけられている。けれど胎内の感じる部分を集中的に責められている彼女は自分がどんなに淫らな姿勢になっているか考える余裕はなかった。ただただ彼から与えられる快感に翻弄されるだけだ。ほんの少し前の、痛みだけだった時が嘘のように疼きが嵐のように襲い掛かってきていた。

「……胎内がうねって私を締め付けているのが、わかるか？」

荒い息を吐き、シルフィスの顔の両脇に手をついてのしかかるように激しく腰を打ちつけながらアルベルトが問う。いつものシルフィスだったらとてもそんな質問に答えることはできなかっただろう。だが今は違う。悦楽に翻弄され、それを生み出すアルベルトにシ

ルフィスは従順だった。

彼のその腕をしっかり摑みながら、シルフィスは答える。

「はい……はい、わ、かります。あ、んんっ」

胎内は敏感で、彼の形や動き、そして自分の膣壁がどんなふうに蠢いてアルベルトを締め付けているのかよくわかった。

「それを覚えておけ。どんなに淫らに動いているのか、私に抱かれて自分がどうなるのかをっ」

「あ、あンっ、ああ、あ、んぁ！」

激しく奥を穿たれて、頭をのけぞらせる。深く繋がり、ぴたっと腰を合わせたまま揺すられると、敏感になった花芯も同時に刺激されてたまらなくなる。

「いやぁ、また、何か……おかしくなるっ」

再び襲ってくる絶頂の予感にシルフィスは悲鳴を上げた。それに応えるようにアルベルトの動きが更に激しくなった。

「……私も……。くっ、シルフィス、出すぞ……受け止めろ」

「え？　……あ、あ、いやぁ！」

悦楽に曇った頭でも彼の言葉が何をさすのかわかった。いやいやと必死に首を横に振る。

切れ切れにレオノーラの顔と、修道院のみんなの顔が脳裏に浮かんでは消える。

「駄目！　お願い、やめっ……！」

だがそう言いながらもシルフィスの中で相反する感情が入り乱れる。愛する男の子種を求める女としての本能と、これは間違っていると叫ぶ理性の悲鳴と。

けれど、そんな心にはお構いなしに身体は高まり、絶頂に突き進んでいく。

「イけ」

アルベルトのそんな命令の声が轟いた途端、シルフィスの中で何かが決壊して白い波が押し寄せて、すべてを押し流していった。

「あ、あああああ！」

「……くっ」

達したシルフィスの膣がアルベルトの剛直に蠢き絡みつき、うねり、射精を促す。アルベルトは激しく奥を穿ち、快感に下がってきたシルフィスの子宮の入り口に先端をめり込ませると、そこで自分を解き放った。

「私の子を孕め、シルフィス」

「んあっ！　あ、ああ、ああ！」

絶頂覚めやらぬ中、シルフィスは注ぎ込まれる刺激と奥に広がる熱に、頭をのけぞらせて甘い悲鳴を上げた。アルベルトから放たれたものが、子宮の中に広がっていく。それはアルベルトの欲の証。新たな命を育むものだ。

……子供。私とアルベルト様の。

許されないことなのに、広がる熱と共になぜか陶然とした思いが押し寄せ、罪の意識を押し流していく。

「……あ、くっ」

アルベルトがすべてを出し切るように突いてくる。肩にかけられた自分の足がその動きに合わせて揺れるのをぼんやり見ながら、シルフィスはしばしの歓びに身を委ねる。きっとすぐに罪悪感が戻ってくるだろう。けれどそれまでは、愛する男に抱かれた喜びに浸りたかった。

……今だけ。今だけは。レオノーラも、修道院のことも忘れて。

「……もう逃がさない。君を真綿の檻に縛り付けてやろう」

「アルベルト、様……」

シルフィスは手を上げて、汗だくになったアルベルトの頬に触れた。

――愛しています。あなただけを。

永遠に口にすることができない思いを指に託して、触れて――そして目を閉じて、そのまま気を失った。

だから、力が抜けてシーツに落ちていくその手をアルベルトが取り、愛しそうに唇に押し当ててつぶやいたことをシルフィスが知ることはなかった。

「早く私に溺れろ、シルフィス。罪悪感など吹き飛ぶくらいに。……そして私に堕ちてこい……」

——目が覚めると、シルフィスはアルベルトの腕に包まれていた。

一瞬ここはどこで何をしていたのか戸惑うシルフィスだったが、全裸であること、そして自分の身体に回された腕と横で静かに寝息を立てているアルベルトに気づいてすべてを思い出した。そして——静かに絶望した。

純潔を失ったこと、愛するアルベルトに償いのために子供を産むことを迫られたこと、戒律を破ったこと。そして……行為に自分が応えたことに。

……私はなんて愚かなのだろう。この愚かさがあの不幸を呼び寄せたというのに。

シルフィスは身じろぎをして、アルベルトの腕から逃れようとした。だが、彼の腕は思ったよりしっかり巻き付いていて、なぜか抜け出せなかった。諦めて頭を枕に戻したシルフィスは自分の両足の間から液状のものが流れているのに気づく。一瞬、月のものと勘違いしたシルフィスは自嘲した。

ばかな自分。これが何であるかははっきりしているというのに。アルベルトがシルフィスの中に放った子種に決まっている。子宮が飲み下しきれなかったものが、流れてきているのだろう。

『私の子を孕め、シルフィス』

子宮に受けた瞬間言われたことを思い出してシルフィスは震えた。

――ディーステル家とコリンソン家の血を引く子供。

アルベルトに選ばれて、彼の妻となって産めるのであればどんなに嬉しかっただろう。けれどシルフィスは次善に過ぎない。レオノーラがいないから。コリンソン伯爵家の最後の人間だから。……レオノーラを失う原因を作ったから。

シルフィスはそっと目を伏せた。いつも後悔と共に思い出すのは、あの最後の日のことだった――。

＊＊＊

「……私は行きません」

ディーステル家のパーティを翌日に控えたその日の夜。夕食時に父親に問いかけられたシルフィスはぼんやりと顔を上げて答えた。

「具合がよくないのです。だから私は行けません。家に残ります。ディーステル家のパーティにはお父様とお母様、お姉様だけでいらしてください」

そう答えるシルフィスの顔は悄然《しょうぜん》として青ざめていた。父親は眉を顰めたが「そうか、わかった」というだけに留めたようだった。父親として元気のない末娘のことは気になるが、今の彼はそれよりももっと気にかけることがあったのだ。シルフィスの隣に座っているレオノーラだ。

そのレオノーラはシルフィスにチラリと心配そうな視線を向けた後、食事の手を止めて父親を睨んで言った。

「シルフィスが行かないのなら、私も行きません」

「レオノーラ！　お前は必ず出席するんだ」

シルフィスは食事時だというのにいがみ合う父と姉に生気のない目を向けた。

この何日間かずっと部屋に閉じこもり、泣いているかぼんやりしているかのどちらかだったシルフィスも、両親とレオノーラの間で緊張関係が続いているのに気づいていた。レオノーラが何度も父親の書斎を訪れたり、廊下まで届く父の怒鳴り声が聞こえたりしたからだ。けれど彼女はそれを深く詮索したり尋ねたりする気力はなかった。ただ両者の諍《いさか》いがアルベルトとレオノーラの婚約に端《たん》を発していることは確かなようだ。

「シルフィス。あなたは部屋に戻りなさい」

ため息をついて母親のコリンソン夫人が言った。シルフィスはそれに頷いてそっと食事の席を離れる。そんな彼女を、姉と父親はにらみ合うのに忙しく気づかなかった。

……いつもシルフィスは蚊帳《かや》の外だ。今回の婚約に関しても元々シルフィスが嫁ぐ予定であったのもなかったことにされていた。この婚約で彼女が打ちのめされていることにも気づいていない。両親はアルベルトに対するシルフィスの気持ちを知らないのだ。いや、もし気づいていても、貴族の結婚は義務だと信じている彼らからすればこれも仕方のないことなのだろう。それに、レオノーラとの諍いの他に、アルベルトとの婚約が公表されてからこの方、ひっきりなしに祝いの品が届いたり使者がやってくることもあり、それらの応対に忙しくシルフィスの状態に気を配っている余裕はなかったのだ。屋敷中が皆そんな感じだった。

そして唯一シルフィスの気持ちを知っている人物は――。

「シルフィス。行ってくるわね」

レオノーラはディーステル家のパーティ当日、出かける直前にシルフィスの部屋の扉の前に来て、起きているであろう部屋の主に対してそっと声をかけた。昨夜は行く行かないで父と揉めていたが、結局出席することにしたようだ。

シルフィスはベッドに伏せたままそれを聞いていた。

「必ずこの間違いを正してくるわ。待っててね」

レオノーラは優しくそう言って扉から離れた。

そして――それが、シルフィスが聞いたレオノーラの最後の言葉となった。

朝から降り続いていた雨が夜になって風が吹き、嵐のように酷くなり、翌日の昼過ぎにようやく上がった。

……アルベルトは今どうしているだろう。レオノーラとどう過ごしているのだろう。そう思いながらシルフィスはディーステル家のパーティに着ていくはずだったドレスを取り出してぼんやり眺めていた。

一年に一度のディーステル家のパーティ。それは招待客である貴族たちに婚約者を披露するには最もふさわしい場だ。だからこそ父のコリンソン伯爵はレオノーラの出席にこだわったのだ。おそらく夕べの夜会でアルベルトの婚約者としてレオノーラが紹介されたことだろう。だからこそ行きたくなかった。寄り添う彼らを見たくなかった。

……本当はアルベルトと隣にいるのはシルフィスだったはずなのに。

息が苦しくなって胸がきりきりと痛んだ。耐えられなくなってそのドレスを放り出し、雨が上がってようやく明るくなりかけている空を窓越しに見つめた。……その一報が届いたのはそんな時だった。

――両親とレオノーラが乗った馬車が土砂崩れに巻き込まれて全員亡くなった――。

そう聞かされて、シルフィスは何の冗談かと思った。移動が簡単な王都にある別宅で行われるパーティとは違い、王都から離れた領地で行われるパーティは泊まりがけが基本だ。いくらディーステル家とコリンソン家の領地が隣り合っているとはいえ、そう簡単に帰ってこられる距離ではないので当然両親たちもその予定で出かけた。だから出かけたその日のうちに事故に巻き込まれたなどということはありえない。

だが、それは本当だった。

具合が悪くて欠席したシルフィスが心配だということで、コリンソン伯爵夫妻とレオノーラは泊まることなく、その日のうちにディーステル家を辞したのだ。そして急ぐあまり、平坦で安全な川沿いの迂回路ではなく、近道となる山側の道を通り土砂崩れに巻き込まれたのだという。

「……嘘。私の……せいで……?」

貴族としての対面を気にする両親が具合が悪いとはいえシルフィスのために大切なディーステル家のパーティを早々に引き上げることなどありえない。けれどレオノーラは違う。レオノーラなら気の乗らない婚約披露などより妹のシルフィスを優先しようとするだろう。きっと彼女が帰ると言い張ったに違いない。

……その日の夜。ようやく掘り出された三人と御者は、物言わぬ骸となってコリンソン家に戻ってきた。

「お姉……様……」

迎える家人のすすり泣きが漏れる中、玄関に丁寧に並べられた彼らにおぼつかない足取りで近づいたシルフィスは、迷わずレオノーラのもとに向かった。仕事と社交に忙しく留守がちだった両親よりも、親がわりとなって守ってくれたレオノーラの方がシルフィスには近しい存在だった。アルベルトとの婚約でぎくしゃくしていたとはいえ、寄り添って一緒に生きてきたレオノーラはシルフィスの支えだった。

その大事なレオノーラが今無残な姿で横たわっている。翡翠色のドレスも、美しく結っていたはずの艶やかな褐色の髪も、泥にまみれ見る影もない。けれど不思議と顔はとても綺麗だった。おそらく掘り出してくれた人がぬぐってくれたのだろう。頭を打ったのか額に血の跡がついていたが、土砂に押しつぶされたとは思えない。無傷と言ってよかった。

その顔はまるで眠っているかのよう。

「お姉様……お願い。目を開けて……？」

震える声で呼びかける。今この時まで彼女は信じていなかった。三人がもうこの世にいないだなんて。自分一人置いていってしまっただなんて。何かの間違いだと思っていた。

だが今見ているものは紛れもなく現実だった。

――『待っててね』

扉越しにかけられた言葉を思い出す。つい昨日の朝のことだ。……そう言って出かけていった。シルフィスを心配しながら。

……あれが最後？　まともに顔を合わせずに、最後まで気遣わせたままのあのやりとりが最後……？

「嫌よ、お姉様……！」

シルフィスはレオノーラに取りすがって慟哭《どうこく》した。

「お願い！　目を開けて、お願いだから！」

自分が汚れるのを構わずレオノーラをかき抱いて顔に頰を寄せる。けれどももちろんレオノーラがシルフィスを抱き返すことはなかった。

頰に当たる冷たい肌がシルフィスに現実を知らしめる。

死んでしまったのだ……みんな。レオノーラも両親も。……シルフィスを心配して早く帰途についたせいで。

——私の……せいだ……！

仮病など使わず一緒に行っていれば、みんなは嵐の中を帰路につくことはなかっただろう。一緒に行ってさえすればこんな事故は起こらなかった。

……いや、そもそもアルベルトがレオノーラを選んだ時点で諦めればよかったのだ。愛する彼の幸せを願ってこの想いを封印すれば。そして義兄となるのを認めていれば……！

けれどシルフィスはこの愚かな恋心を諦めることができずに、並んだ二人を見たくないという理由でディーステル家に行かなかった。その結果、大切なレオノーラを最後まで心配させたまま逝かせてしまったのだ。

そして――アルベルトは婚約者を失った。彼が選んだ花嫁となる女性をシルフィスの軽率な行動のせいで亡くしたのだ。

シルフィスは涙の中で悟った。――自分は彼を思う資格すら失ったのだと。


それからはまるで悪夢の中を彷徨っているようだった。

何とか使用人たちに指示はするものの、何もかも現実味がない。そのくせ時々、不意に強烈な悲しみと涙に襲われて息ができなくなる。食事も喉を通らないし、よく眠れない日々が続いた。

そんな最悪の状態のシルフィスを支えてくれたのは、従兄弟のロッシェ・レフォール伯爵とその妻だ。彼らはすぐコリンソン邸にやってきてシルフィスを宥め、使用人に指示を出し、葬儀を整えた。その葬儀の間も、足元がおぼつかないシルフィスを両脇から支えてくれた。彼らがいなかったらシルフィスはやり遂げられなかっただろう。

「家族を一度に失ったんだ。悲しみに暮れて当然だ。君はよく頑張ったよ」

葬儀の後、感謝するシルフィスにロッシェは微笑んだ。ロッシェは、シルフィスの父親の妹――つまり叔母の子供だ。アンバー色のふわりとした巻き毛に、温かい翠色の瞳を持つ穏やかな気質の青年で、アルベルトと同じように父親を早くに亡くし、若くして伯爵位の座についていた。そして直系ではないがコリンソン家の血を継いでいるので、シルフィスの次にコリンソン伯爵位の相続権がある。けれど本人はコリンソンの伯爵位にはまるで興味がないようだ。それとなく自分の代わりに爵位を継ぐように打診したものの、引き受けるのは後見人の役目だけだと言われてしまった。

「レフォール家もコリンソン家も古くからある名門だ。その二つを背負うのは重過ぎる。それに現状、僕はレフォール家の名を優先せざるを得ない。コリンソンの名は埋もれてしまうだろう。それは伯父上の本意ではないはずだ。コリンソンは君か君の血を継ぐ者が受け継ぐのが一番だよ」

ロッシェは後見人としてシルフィスを支え、彼女か彼女の夫、又はその子供がコリンソン家の家督を継ぐという形が一番だという考えだった。けれどシルフィスは、自分がこの家の女主人としてやっていけるとは思えなかった。早くから後継者として教育を受けてきたレオノーラと違って領地の運営や領民の管理のことなど、まるで知らないのだ。そんな自分が治めることを使用人たちも領民も不安がっているのをシルフィスは感じ取っていた。

葬儀の采配を振るうロッシェの姿を見て、そしてそれに従う皆の姿を見て、シルフィスはロッシェに治めてもらうのが誰にとっても一番いいのではないかと思うようになっていた。けれど、ロッシェにその気はないようだ。

シルフィスはロッシェと会った後、外に出てぼんやりと屋敷を見上げていた。この古くて大きな屋敷は父や先祖たちが守ってきた名門、コリンソン伯爵家の象徴だった。シルフィスはこの屋敷で生まれて育ってきた。だが、今は見慣れた屋敷が酷くよそよそしい。暗く重苦しく、まるでシルフィスにのしかかってくるようにも見えた。そう思うのはこのすべてをずっと背負っていかねばならないからだろうか……。

怯む心をシルフィスは叱咤した。それが義務と責任なのだからやらねば。それに、ずっとではないだろう。コリンソン伯爵家はいずれはできるだろうロッシェの息子に継いでもらおうと考えていた。自分はそれまで何とかロッシェの手を借りてコリンソン家を守っていければいいのだ。それなら何とかできるだろう。

けれどシルフィスはその決意の一方で、自分がコリンソン家を継いでくれる夫を持つという考えを無意識に排除していた。アルベルトと結ばれないなら結婚はしない。裏でそんな気持ちが働いていた。思うことすら許されないのに、心のどこかでは諦めきれないでいた。……けれどそんな、心の内に潜む愚かな心を最悪の形で突き付けられることとなる。

「シルフィス」

後ろから呼びかけられてシルフィスはビクンと震えた。なぜならその声は彼女が聞きたくて、でも一番聞きたくない声だったからだ。

……彼が今日の葬儀に来ていたのは知っていた。レオノーラの婚約者だったのだ。来ないわけがない。けれどシルフィスは墓へと向かう葬列の間も神父の送りの言葉の間も、決してアルベルトの方に目を向けなかった。自分が彼を見てどう思うのか怖かったし、何よりも彼の目に浮かぶ自分への憎しみや怒りを見たくなかったのだ。

シルフィスはアルベルトの婚約者であるレオノーラの死の原因を作ってしまった。いくら彼がシルフィスを妹のように思っていたとしても今ではそんな気持ちは吹き飛んでいるだろう。仕方のないことだ。けれど、そう思いながら、シルフィスはアルベルトと顔を合わせるのを恐れた。糾弾されるのが怖かった。

「シルフィス。こちらを向け」

いつまで経っても振り向かないシルフィスに、アルベルトの声に苛立ちが混じる。とうとう命令されて、シルフィスは覚悟を決めて恐る恐る振り返った。

アルベルトは黒の上着に黒のトラウザーズという葬儀に参列したそのままの姿で、いつもの黒いマントを身に羽織っていた。全身が黒ずくめのその姿は葬儀の参列者というより悪魔のようだ。だが、シルフィスを見下ろすその目には恐れていたような糾弾の色は見当たらなかった。

「アルベルト様……」

思わず零れたシルフィスの声には隠しきれない思慕が表れていた。この瞬間、彼女の頭から両親やレオノーラのこと、そして今自分が置かれている状況のすべてが消えていた。

愛する男を目の前に、シルフィスの心を占めたのは紛れもない歓喜と慕情。

思えば彼の姿を見るのは久しぶりのことだった。アルベルトがレオノーラを選んでからは初めてのことだ。知らず知らず足を一歩踏み出していた——彼のもとへ。だが、次のアルベルトの言葉でシルフィスは足を止めた。

「シルフィス。レオノーラのことで話がある」

その瞬間、現実に引き戻されたシルフィスは絶望した。自分がこうして黒いドレスとベールを纏っている意味と、アルベルトに呼びかけられた意味を思い出して胸が苦しくなった。

けれどその絶望と胸の痛みは悲しみに紛れ、沈んでいた彼女の中の昏《くら》い感情を浮かび上がらせた。その根底に流れるのは——醜い嫉妬心。

シルフィスは両親と姉を失ったが、アルベルトもレオノーラを失った。辺境伯としての権力を使ってまで求めたレオノーラはもういない。二度とアルベルトのもとへは帰らない。シルフィスはもうレオノーラがアルベルトの花嫁になる瞬間も、彼らの睦《むつ》まじい姿も、跡継ぎを得て喜ぶ姿も見なくて済むのだ。……だってレオノーラは死んでしまったのだから。アルベルトとレオノーラの結婚を推し進める両親ももういないのだから。

……もうこれでアルベルトをレオノーラに取られることはない————。

シルフィスは暗い安堵にベールの中で歪んだ笑みを浮かべた。けれど、その直後、

「……痩せたな。そんなことでどうする」

シルフィスの黒いベールに覆われた頭からつま先まで探るように視線を走らせていたブルーグレイの目が細められ、咎めるように紡がれた言葉がシルフィスの愚かな心を打ち砕いた。それは明らかにシルフィスの状態を気遣うものだったが、彼女にはその言葉に含まれる自分を責めているような響きにのみ反応してしまった。

思えばこの時のシルフィスはレオノーラの婚約に始まり、両親と姉の死という連続して起こった衝撃に冷静に判断する心を失っていた。満足に食事が喉を通らずにアルベルトが言うように痩せてきていたし、眠れぬ夜をずっと過ごして体力的にも精神的にも限界が来ていた。だからアルベルトの言葉に過剰に反応してしまったのだろう。

シルフィスは慄いた。昏い歓喜は消え去り、後に残ったのは、自分に対する強烈な嫌悪だった。

「私……私……ごめんなさい……！」

シルフィスはその場から逃げ出した。アルベルトが引き止めるように自分の名を呼んでいたが、シルフィスは構わず屋敷の中に駆け込み、まっすぐ自分の部屋に向かった。途中で出会った使用人たちが驚いたようにシルフィスを振り返っていたが、それに気づく余裕はなかった。

自分の部屋に入った途端、シルフィスはその場で崩れ落ちた。

……私は、私はなんていうことを……！

吐き気がするほど自分を嫌悪した。ほんのちらりとでも両親やレオノーラの死に安堵を覚えたことが許せなかった。だが、そう思ったことは紛れもない事実だ。

……こんな醜い心を持っているから、アルベルトは振り向いてくれなかったのだろう。優しいレオノーラだったら、たとえ喧嘩をしていた両親のことでも決してこんなふうには思うまい。それがわかっているから、彼はレオノーラを選んだのだ。なぜ自分ではないのかと驕《おご》っていたことが恥ずかしい。答えは明らかではないか――。

ディーステル家にふさわしいのはレオノーラ。愚かなシルフィスではない。こんな時でさえも彼への思慕を断ち切れないシルフィスではないのだ。

「シルフィス様」

どのくらい時間が経っただろうか。扉の向こうでノックの音と共に呼びかける声に、床に座り込んでいたシルフィスはのろのろと顔を上げた。

「シルフィス様、そこにいらっしゃいますか？」

声の主は男性のようだったが、その低い平坦に聞こえる声には聞き覚えがなかった。答えずにいるシルフィスに扉の外の男は告げる。

「私はアルベルト・ディーステル伯爵の従者を務めている者です」

ビクンとシルフィスの身体が跳ねた。

「男の身ゆえ、扉の外から失礼いたします。我が主からシルフィス様をお連れするよう言いつかって参りました。大切な話がある、と。必ず来るようにとの仰せです」

シルフィスは自分を抱きしめてガクガク震えた。レオノーラのことで話があると、先ほど彼も言っていた。何の話か明らかだ。そこでシルフィスはきっとアルベルトに糾弾されるに違いない。先ほどは体調を気遣ったのかあのブルーグレイの目に責める色は見当たらなかったが、今度はそうはいかないだろう。

自業自得だが、今のシルフィスには耐えられそうにない。答えないでいれば居ないものと思ってくれないだろうか。この期に及んで逃げようとする自分に唾棄しながら、じっと息を詰めているとややあって扉の外の声は言った。

「……また後ほど伺います。ですが、シルフィス様。我が主が譲るのはここまでです。この扉を打ち破って強引に連れ出されたくなくば、ご自身で出てきた方が得策かと思います」

そう淡々と告げる従者の声は静かな圧力がこもっていた。やがて「また後ほど」と言い残して男の気配が扉から去った後も、シルフィスはその場でずっと震えていた。

……怖い、怖い、怖い……！

シルフィスは不意に、何もかも耐えられなくなった。アルベルトのことも、コリンソン家のことも。

彼女はよろけながら立ち上がり、机に向かった。そして震える手でロッシェ宛に相続権放棄の旨と、領地や領民たちのことを頼む手紙を書きあげると、それを机の上に置いて、何一つ持たずに部屋を出た。

階段をおりて玄関に向かう。けれど、玄関のホールに家令と女中頭の姿を認めてシルフィスは階段の途中で足を止めた。古くからこのコリンソン家に仕えてくれている二人の姿にシルフィスは不意に自分の決断に後ろめたさを感じた。けれど……。

「これはどうしましょうか」

何かの打ち合わせでもしているのだろうか、女中頭が家令に尋ねている。

「これはシルフィスお嬢様に……いや、ロッシェ様に判断を仰ごう」

首を振りながら家令が答えた。それに女中頭が頷く。

「そうですね。ロッシェ様にお尋ねしましょう」

……それはおそらく心労の激しいシルフィスを気遣った言葉だったのだろう。けれど、そのときのシルフィスには自分がまるで役に立たない必要のない人間のように感じられた。

シルフィスは二人の姿が玄関ホールから消えるの待って、静かに屋敷を出て行った。

目的もあてもない。どの方角に向かっているのかも定かではない。けれどシルフィスは歩き続けた。……何もかもから逃げたくて。

アルベルトのことだけではない。今の自分には何もかも耐えられそうになかった。このコリンソン伯爵家を継いで守っていくことも、貴族の義務も責任も。怖くて怖くてたまらない。無理だと思った。こんな愚かな人間には、人の上に立つ資格もない。自分がいなくてもコリンソン家はロッシェの監督のもと、うまくやっていける……むしろ、シルフィスがいない方がいいだろう。自分はお荷物にしかならないのだから。

——お姉様、お父様、お母様。

シルフィスは涙を流しながら歩き続けた。一人残された悲しみに、愛する男に恨まれている苦しみに。自分への嫌悪を抱きながら。何かに憑かれたように歩き続けて、疲れたらその場で倒れるように眠って。起きたらまた限界が来るまで歩き続ける。それを繰り返した。

この間のことを、シルフィスはほとんど覚えていない。いろいろなものが限界を越えてしまってほとんど正気を失った状態だったのだろう。獣やならず者たちに遭遇して襲われなかったただけ幸運だ。けれどシルフィスはこのまま死んでも構わないとさえ思っていた。そうしたらレオノーラのところに行けるのだから。

——そうして彷徨い続けて三日の後、シルフィスは隣接するディーステル領のアグネス修道院の敷地内で倒れているところを、朝の奉仕に出かけた修道女たちに発見された。

手厚く看病され、身体が癒えた後も自分の過去について口を閉ざす彼女を、彼女たちは優しく受け入れてくれた。喪服を身に纏い、時々泣き出す娘が大事な人間を亡くしたのは確かだったが、深く詮索はされなかった。そんな彼女たちの優しさにどれだけ救われたことか。ただ何も言わず、悲しみに暮れるシルフィスに寄り添い続けてくれた。

そんな彼女たちの優しさに触れたシルフィスは、次第に落ち着きを取り戻した後、修道女になろうと決心した。神に仕え、両親や姉の安らかな眠りを神に祈って生きていこうと。それが両親や姉に対する贖罪になるだろうと思った。

……けれど、今にして思えばそれはシルフィスの勝手な都合の良い言い訳に過ぎなかったのだ。彼女は責任から、苦しみからすべてを投げ出して逃げた。本当に贖罪しなければならなかった相手から逃げ出した。そして今なお逃げ続けていたのだ。神に縋ることで。

シルフィスによってレオノーラを奪われたアルベルトにしたら「それの何が贖罪か」と思ったことだろう。彼女は彼に対して何も償ってはいないのだから。

……だから、そのツケが回ってきたのだ。

両足の付け根から彼が放った白濁液が伝う感触にシルフィスの目に新たな涙が浮かんだ。

アルベルトはシルフィスに贖罪を求めた。それがこれだ。

『私の子を孕め、シルフィス』

シルフィスはアルベルトにとって性的満足を得られる道具であり、失ったもの——すなわちレオノーラの代わりにディーステル家を継ぐ子を産ませるための道具なのだ。それが、彼のシルフィスに対する復讐だった。

そのことはシルフィスを深く傷つけた。けれど、同時に胸の痛みと苦しみの中、シルフィスは己の心に隠された昏い想いを自覚してもいた。

アルベルトの白濁を受け入れたあの瞬間——胎内に広がる熱と共に湧き上がったのは……紛れもなく歓喜の想い。愛する男の子種を子宮に受けて、指先やつま先まで痺れるような喜びがさざ波のように広がっていくのを感じていた。

これは贖罪。アルベルトに対する償いの行為だとわかっているのに。アルベルトにとっても、自分などに係《かかずら》うより、彼にふさわしい女性を探した方がいいとわかっているのに、愛する男の子供を産めることに、心のどこかで狂喜しているのだ。どこまで自分は愚かなのだろう。なんて罪深いのだろう……。

シルフィスは顔を覆って静かに涙を流した。愛する男を想って、姉を想って、そして愚かな自分を憐れんで。

それを知ってか知らずか、傍らで静かに寝息を立てているはずの、今なおシルフィスを拘束しているアルベルトの腕に力が入る。けれどそれに気づかずに、いつまでもシルフィスは涙を流し続けていた。

4　償いの日々

「シルフィス様。喉に効く薬湯をお持ちしました……シルフィス様？」

ソファに敷いたクッションに身を預けてぼんやりしていたシルフィスは、その声に顔を上げた。見ると侍女のファナが薬湯の入ったカップを載せたお盆を手に、思わしげにシルフィスを覗き込んでいた。そんな彼女に心配ないというふうに微笑む。

「ありがとう、ファナ」

けれどその声は掠れ、か細く響いた。昨夜、一晩中アルベルトに抱かれ、喘ぎ続けたからだ。意識を失いかけては揺さぶられて引き戻され、悲鳴にも似た嬌声を寝室中に響かせ続けた。ようやく解放され、気絶するように眠りについたのは明け方で、その間に幾度となく狂わされ、胎内にアルベルトの白濁を吐き出されていた。

けれどそれは昨夜に限ったことではない。この一か月もの間、何度も繰り返されたことだった。

シルフィスはファナから薬湯の入ったカップを受け取り、柑橘系の香りのする甘い薬湯を口にした。その拍子に、露わになった白い首筋と鎖骨に赤い鬱血痕《うっけつこん》を見つけたファナはそっと目を外し、それには気づかないふりをした。

シルフィスの白い肌に咲いた赤い痣《あざ》はそこだけではない。彼女は今、コルセットの必要がない薄紅色のゆったりとしたシュミーズドレスを身に纏っているが、そのドレスに隠れた至る所に同じようにアルベルトが刻んだ所有印が押されていた。胸元や下腹部、内股、背中に至るまで。ファナはシルフィスの湯あみの手伝いをして毎日それを目撃しているが、そのことについては見ないふりをしているのだ。この可憐な主がその跡を見られるのを恥じているのがわかっていたからだ。

やがて薬湯を飲み干したシルフィスは一息つくと、クッションに頭を預け目を閉じた。

「シルフィス様、お休みになるならベッドに行かれた方が……」

「大丈夫です。それにベッドにいれば……」

そこまで言って、シルフィスの口元に苦い笑みが浮かんだ。

「いえ、ベッドにいようがここにいようが同じことですもの……」

「シルフィス様……」

シルフィスの言いたいことを察してファナは目を伏せた。

「……わかりました。それではゆっくりお休みくださいませ。何か御用がありましたらお呼びください」

　そうしてファナは静かに部屋を出て行った。

　シルフィスはうすぼんやりと目を開けてファナが扉の向こうに姿を消していくのを見届けると、深いため息をついた。ファナはシルフィスがディーステル邸に来た時から、甲斐甲斐しく世話を焼いてくれた。明るくハキハキとした性格の彼女につい押されて世話になってしまうが、シルフィスはそれが嫌ではない。どこか修道院の面倒見の良いシスターたちを思い出させるからだ。

　けれど、ファナはシルフィスの侍女だが、アルベルトの忠実な使用人でもある。それを忘れてはいけない。名前で呼んでいることからわかるようにアルベルトに信頼され、またファナも彼に深く心酔していた。恋人がいるらしいので、恋愛感情とはまったく違うものだろうが、アルベルトの存在を絶対だと思っている節がある。彼がシルフィスに強いている無体を黙認――いや、当たり前のように受け入れていることからもそれは明らかだ。

　シルフィスは億劫そうに身じろぎをして、クッションに顔をうずめた。身体の倦怠感《けんたいかん》が抜けなかった。手足に力は入らず、着替えも移動も、何もかもファナの手を借りなければならないありさまだ。それは何も今日に限ったことではない。このひと月の間、毎日昼夜関係なく貪られ、規則正しい修道院の日々が思い出せないぐらいに何もできない怠惰な日々を過ごすことを余儀なくされていた。

厳しく、ストイックささえ感じさせるその外見とは裏腹に、アルベルトの性欲は果てしなく強いようだ。彼は毎晩シルフィスを貪るだけではなく、昼間ですら時間ができると部屋を訪れてはシルフィスを抱いていく。前夜の行為のせいでベッドで休んでいたシルフィスが異変を感じて目を覚ますと、全裸に剥かれアルベルトに貫かれて揺さぶられているということが何度もあった。ソファで休んでいても同じだ。ベッドに連れて行かれるか、その場で抱かれるかの違いに過ぎない。

まるでアルベルト専用の娼婦のようだ。言葉は悪いが、それと大差がないことをシルフィスは知っていた。いつでもどこでも、彼の欲望のままに抱かれる人形だ。違うのは彼の子供を孕み次代に繋げる役目を与えられていることだけ。そしてこのように白濁を子宮に受け続ければ近いうちに必ず彼の子供を宿すだろう。いや、もしかしたら、すでにもう……。

シルフィスは下腹部に手を当て、ぶるっと震えた。手の下のそこは熱を持ち、鈍痛にも似た疼きを発していた。今朝方まで注ぎ込まれ続けたアルベルトの子種が今なおそこにとどまり、子宮を蹂躙しているような……。そこまで考えてシルフィスはふっと自嘲の笑みを零す。

違う。自分に正直になれば、この浅ましい身体がアルベルトを欲しているのだ。抱かれ続け、彼に馴らされた身体が禁断症状のように、彼を求める。あの逞しい体躯《たいく》に包まれ、あの猛った剛直に貫かれるのを待ちわびているのだ。今だって、アルベルトのことを思うだけで足の付け根に蜜がじわりと染み出してくる。

自分でもおかしいと思う。アルベルトの求めているものは償いなのに。だが、心をそう戒めても、こんなのはいけないと思っても彼のもたらす快感に、身体だけが溺れていく。

もしただ一方的に求められ奪われるだけだったら、こんなふうにはならなかっただろう。けれどアルベルトは巧みだった。強引に求めるくせにその触れ方は優しく、シルフィスの身体を蕩けさせ悦楽に染め上げ、応えずにはいられないようにしてから、奪うのだ。馴らされ、彼の思う様に淫らに調教され、いつしかシルフィスは彼に視線を向けられただけで熱く反応する身体になっていた。心は置き去りにされて。……いや、心などとっくに奪われている。だからこそ身体も簡単に彼の与える快楽に溺れてしまうのだ。

時々このまま何もかも忘れてしまえればと思う。償いのことも、レオノーラのことも、愛されてはいないことも、何もかも忘れて、ただただ彼に与えられるものを享受し、彼の傍にいて、彼の子供を産んで……。けれどそう思うたびにレオノーラの死に顔が目に浮かび、焼けつくような胸の痛みと苦しみに襲われる。彼に溺れてしまいたい気持ちと、これではいけないと思う気持ちに心は裂かれ続けている。

それに修道院のことがある。大事な、我が家にも等しい修道院と、家族にも等しいシスターたちや孤児院の子供たち。彼らのことを思うとやはりアルベルトに流されるまま身を委ねることはできなかった。

……何とかして修道院に帰ることはできないだろうか……？　うつらうつらとシルフィスは考える。

何も言わずにアルベルトによって連れてこられてしまったから、きっとみんな心配しているだろう。特にヴォルフは自分を責めているかもしれない。池には彼と見に行く予定だった。自分が一緒についていればと思っているのではないか。せめて何とか無事でいることだけでも知らせたかった。けれど……。

シルフィスは震えるような吐息を漏らした。彼女はこの豪華な屋敷に囚われた憐れな虜囚だ。アルベルトはシルフィスをここから一歩も出すつもりはないのだ。

確かに屋敷の中はどこでも行ける。庭に出るのも禁止されているわけではない。だが、庭に出るたびに数人の兵士が常に一定の距離を保って自分を監視していた。

……初めは気のせいかと思った。ディーステル伯爵家はその役目上、私設の軍隊を持っている。隣国から物や人が出入りする土地柄、常に警備は欠かせないからだ。当然、領主が暮らすこの屋敷も厳重な警備によって守られていた。だから見えるところに、兵士の姿があってもおかしくない。だが、シルフィスが出口を探して屋敷を取り囲む高い柵に近づこうとした途端、彼らがさりげなく近づいてきて言った。

「お戻りください、シルフィス様」

「閣下の許可がなければここから出ることはできません」

シルフィスは自分が軟禁されていることを知った。あの兵士たちが監視しているのは外からの侵入者などではない、シルフィスだったのだ。彼女を逃がすまいとするアルベルトの意思を感じてシルフィスは怯えた。

更に、シルフィスが屋敷から出ようとしていたのを兵士から聞いたのだろう。その晩、アルベルトは彼女の部屋に来てこう言った。

『どこへ逃げようとした？　修道院か？　だが、言ったはずだ。二度と修道院には帰さないと』

そして、罰するように一晩中責め抜かれた。昨夜のことも、行けないまでもせめて手紙を出して無事を知らせたいと訴えた結果だった。

『修道院のことは二度と口にするな。忘れろ』

以前ファナが忠告してくれたとおり、彼はシルフィスが修道院に逃げ込んだことをよく思っていなかった。だが、忘れることなどできない。彼らはシルフィスの大切な家族なのだから。けれど、軟禁されたまま手紙を出すことも許されず、連絡を取る手段がない。一体どうしたらいいのだろう。どうすれば……。

「シルフィス」

不意に呼びかけられてシルフィスはハッと目を開けた。どうやらいつの間にかうとうとしていたようだ。視線を上げるとソファに凭《もた》れた彼女を見下ろしているブルーグレイの瞳とぶつかった。普段は冷たいその色が、欲望に翳り熱を帯びてシルフィスを捕らえている。

「アルベルト……様……」

その劣情に呼応するように、シルフィスの子宮がズクリと疼く。蜜壺からじわりと蜜が染み出してくる。

……ああ、また……。シルフィスは観念したように目を閉じた。


「どんどん溢れてくるな……」

「い、いやぁ、言わない……で、ください」

シルフィスは恥ずかしさとくすぐったさと、そして圧倒的なまでの快楽にシーツを摑んで身悶えた。羞恥に真っ赤に染まった白い肌がアルベルトの舌が動くたびに揺れ動く。

「あ、んん、あ……っ」

ドレスや下着はとっくに剝ぎ取られ、ソファの周りに散乱していた。

休んでいるところをアルベルトに急襲され、昼の明るいソファですべてを露わにされて、散々嬲られた。胸も蜜壺も、彼女の弱い部分を知り尽くした手によって解され蕩かされ、何度も絶頂に導かれた。そうして狂わされたシルフィスが羞恥と欲望に全身を赤く染め、泣きながら充足を求めて哀願したのに。

「ベッドに行こう」

そう言って、帳を下ろされたベッドに横たえらえ、ヒクついて蜜を垂れ流す秘部に与えられたのはアルベルトの舌による口淫だった。濡れた舌で敏感な部分を舐められ、溢れ出てくる蜜を啜られ、シルフィスは羞恥と快感にむせび泣く。広げられた自分の足の間にアルベルトの淡い金色の頭が埋まっている光景も、彼の髪が内股を撫でる感触も、ぴちゃぴちゃと猫が水を啜るような音も、そのどれもがシルフィスの官能を高める道具となった。今のシルフィスには修道院のこともレオノーラのことも頭にない。あるのはただアルベルトと、彼が与える悦びだけ。

「アルベルト様、アルベルト様ぁ……、あ、ああっ、あああああ！」

充血した花芯を歯で嬲られて、シルフィスは頭を逸らせて軽い絶頂に達した。目の前が白く染まる。

アルベルトは顔を上げると、荒い息を吐き天井に視点の合わない目を向けているシルフィスの内股にまた一つ所有印を押してから彼女の足を抱え上げた。そして、猛った己の楔《くさび》を、蜜を湛え待ちわびるその場所に押し当てて言った。

「私のモノだ。ココも、髪の毛一本に至るまで、すべて……！」

「あ、ああああっ！」

猛ったものが花弁を押し開き、我が物顔でシルフィスを貫いた。ズンという衝撃と共に一気に奥まで貫かれる。シルフィスは首と背を反らし、その衝撃を受け止めた。達したばかりの膣道が、待ちわびていたものの侵入に歓喜に震え、妖しく蠢き始める。

「ハッ、君のここはすっかり私の形を覚えたようだな」

蜜を溢れさせ、絡みつき締め付けてくる襞に、アルベルトは嗤う。

「んんっ、あンっ、あ、んんっ」

恥ずかしいことを言われ、顔をいやいやと左右に振りながらも、打ちつけられ、壁を擦られる快感にシルフィスはたまらずアルベルトに手足を絡ませる。無意識のうちに彼の腰を足で挟み込み、深い結合を促していた。

「シルフィス……」

降りてくるアルベルトの唇に応え、彼と舌を絡ませながら欲望のリズムに合わせて揺れる今のシルフィスに修道女としての貞潔な面影はすでにない。そこにいるのはアルベルトの女。彼の欲望のまま身を差し出す性奴隷だ。そんな自分に頭の片隅で唾棄しながら、シルフィスはその背徳感すら快感に変換させる。元々恋い焦がれていた相手だ、溺れるのは容易《たやす》かった。

「ああっ、ん、んぅ……あ、アル、ベルト様」

「それでいい。私に堕ちて、私だけを見ていればいい」

乱れ狂うシルフィスを見下ろして、アルベルトは激しく奥を穿ちながら歪んだ笑みを漏らす。その言葉に、そして目を奪われたあの微笑みとはほど遠いその笑みに、シルフィスは一瞬怯み、けれどすぐ快楽に押し流されていった。

やがて充足の時が訪れた。甲高い嬌声を響かせるシルフィスの胎内の奥深く、子宮の入り口にまで達したアルベルトの剛直が膨らみ、爆ぜる。

「……くっ……！」

「ああっ」

シルフィスは身を反らし、局部をアルベルトに押し付け深く繋がり、彼の白濁を今日も胎内で受け止める。ドクドクと奥で広がっていく熱に陶然としながら。

……けれど、熱狂の時が過ぎれば後に残るのは苦しみと深い悔恨と罪の意識だった。シルフィスはアルベルトに背を向けて横たわりながら静かに涙を流した。泥にまみれたレオノーラの最期の姿が目の裏にちらついて離れない。

「シルフィス」

アルベルトが後ろから彼女を抱き寄せた。背中から双丘、足に至るまでぴったりと重なる素肌の感触にシルフィスはふるると震える。アルベルトは彼女の白い滑らかなうなじに新たな所有印を散らしてから、シルフィスの胸の膨らみを手で包み込んで言った。

「私は明日から国境の砦に視察に向かう。三日ほど留守にする予定だ」

「砦……」

ディーステル領には隣国との境に防衛上重要な砦がある。その砦の管理を国から任されているアルベルトにとって砦の視察は重要な仕事の一つだ。仕方のないことだし、彼が留守にしている間は、毎日無体を強いられるシルフィスの身体にとってはしばしの休息になり喜ばしいことだ。けれど、シルフィスは寂しさと心細さを感じた。

「定期的なものだ。報告を受けて確認したらすぐ帰る。その間、大人しく待っていろ」

「ふぁ……」

胸の膨らみを掬い上げるように揉まれて声が漏れる。コリコリと胸の頂を指で弄られ、治まったはずの欲望の火が再び頭をもたげてくる。けれど次にアルベルトが言った言葉にその火は一瞬で掻き消えた。

「そして一週間後、年に一度のパーティがこの館で開かれる予定だ。そこで我々の婚約を発表する」

「……こん、やく?」

固まったシルフィスをアルベルトが冷笑する。彼は胸を包んでいた手をシルフィスの下腹部に——子宮のところに滑らせて言った。

「まさか婚姻外の子供を作るとでも? だがそれだとディーステル家を継がせることはできない。それでは困る。いや、我々は結婚するんだ。君は私の妻となって正統な後継者を

産む。それがそもそものディーステル家とコリンソン家が交わした約束だからな」

「結婚……約束……」

「そうだ。歪められた約束をあるべき姿へと戻し、その身も心も未来も子供も、すべてを私に差し出す——それが君の私に対する償いだ」

「……っ、あっ！」

手が更に下に滑る。ビクンと身体を震わすシルフィスには構わず、先ほど自分が放った白濁に濡れる割れ目に長い指を差し込み、蜜壺をかき回しながらアルベルトは淫らな声で囁いた。

「私がいない三日分、ここにいっぱい注いでやろう。早く孕むように」

「……や、あ、ああああああっ！」

再び始まる淫らな償いの行為。アルベルトの欲望に引きずられて、癒え始めた喉が再び枯れ果てるまでそれは続けられた。けれど、どれほど淫情に溺れようとも、彼女の頭の中から結婚という言葉によって一度引きずり出された感情が消えることはなかった。


翌日の昼過ぎ、ようやくシルフィスが目を覚ますと、すでにアルベルトは国境の砦に発った後だった。

力が入らずギシギシと軋む身体に鞭打ってようやく上半身を起こすと、情事の跡も生々しい己の裸体が目に入る。身を起こした拍子に足の付け根からまだ残っていたアルベルトの放った白濁がとろとろと零れ、シーツを汚した。すっかりなじみになってしまった光景だ。

シルフィスの目から涙がすぅと零れて落ちていった。

アルベルトとの子供を、ディーステル家を継ぐ子供を産む。それが婚約者を奪われたアルベルトに対する償いだとシルフィスはここに連れてこられた。そして一か月もの間、軟禁され彼に抱かれ続けた。けれどなぜかそれを結婚に結びつけたことはなかった。アルベルトに家同士の約束だと言われていたにもかかわらず。

修道女として不婚を誓ったことも影響しているのかもしれない。シルフィスは自分が日陰の身として囲われているのだと漠然と考えていたのだ。けれどアルベルトは結婚を考えていた。

――アルベルトとの結婚。それはシルフィスがかつて望んだことだった。彼と結婚して彼の子供を産んで、彼の傍らでずっと一緒に生きていく。レオノーラとの婚約で断ち切られたその望みが今叶おうとしている……。

けれど、シルフィスの心に喜びはなかった。結婚するのだとアルベルトに言われたあの瞬間、シルフィスの心を占めたのは喜びではなく、絶望だった。こんな形では嫌だと、心は悲痛な叫びをあげた。

おかしなことだ。日陰の身だと思っていた時はそれを絶望と諦念と共に受け入れたのに……。シルフィスは涙を流しながら自嘲の笑みを浮かべた。

どこまでも愚かな自分。彼を望むならその差し出された手を摑めばいいのに。けれど、かつて切望したことだからこそそれはできなかった。日陰の身ならば見ないふりをしていられた。彼に償うのだという名目で身体を捧げることができた。けれど、妻の座はアルベルトがレオノーラこそふさわしいと選んだ立場だった。それをシルフィスは忘れられない。永遠に超えられない壁だ。常にいつでもレオノーラの影がつきまとい、シルフィスは死ぬまで次点と義務であり続けるだろう。そして……愚かな自分はそれでは嫌なのだ。

――今なら、間に合う。

「……ここから、逃げなければ」

シーツで涙をぬぐってシルフィスはつぶやいた。アルベルトの子供を宿す前に、ここから離れて身を隠さなければ。

彼の子供を孕んでしまえば彼はシルフィスに、そして自分は彼に縛られてしまう。レオノーラも、交わした当人たちもいない今、ディーステル家とコリンソン家の約束に縛られる必要などないのだ。もう、解放されるべきだ。……アルベルトもシルフィスも。それには自分がいない方がいい。いなければアルベルトもそのうち諦めて自分にふさわしい人を伴侶に選ぶだろうから。自分がいなければ……。

——そう言って、また逃げるの？

頭の片隅でふと問いかける声がした。けれど、シルフィスはその声にそっと耳を塞いで、よろよろとベッドから降りてワードローブに向かう。そしてそこから、綺麗に折りたたんであった見習い用の修道服を取り出した。その白いワンピースは、このひと月の間身に着けていたどのドレスよりも質素で味気のない服だ。けれど、どんな豪華なものよりシルフィスにとっては大事なものだった。

……みんなに会いたい。あの清貧で優しい場所に戻りたい。マザー・ニコールや、シスターたち、子供たちのところへ。あそこならシルフィスはアルベルトの中のレオノーラの影に怯えることもなくただただ両親と姉のことを穏やかに祈っていられた。

「……帰りたい……」

服に頬を押し当ててシルフィスはつぶやいた。

……どうすれば捕まらないであの門をくぐれるだろうか。

翌日、シルフィスは白い修道服を身に着け庭に出て、花を見るふりをして高い柵に囲まれた門を窺った。服についてはファナにいい顔をされなかったが、アルベルトが戻るまではと無理を言って身につけさせてもらったのだ。ウィンプル《頭巾》もベールもないので、修道服だと言わなければ周りからは単なる質素な白いワンピースの服に見えるだろう。

シルフィスはこの三日のうちに何としてもこの屋敷を出ようと思っていた。アルベルトがいない今が絶好の機会だ。なぜなら国境警備にあたる人員の交代のために、何人もの兵士がアルベルトに付き従って出かけているからだ。今この屋敷の警備はいつになく手薄だった。シルフィスを監視する兵士も数を減らし、一人しか姿が見えないくらいだ。これなら隙をついて逃げ出すことも可能だと思われた。あとの問題は、門を警備する兵士の気をどうやって逸らすかだ。

けれど、結局いい考えが思い浮かばず、時間だけがじわじわと過ぎていく。不審に思われるため、あまり長く庭に出ていることもできず、焦りはつのる一方だった。明後日にはアルベルトは屋敷に戻ってきてしまう。チャンスは今日か明日しかない。

……だが、今日は無理そうだ。そろそろお茶の時刻だから、ファナが呼びに来てしまう。諦めて部屋に戻ろうと、最後にちらりと柵に目をやった時だった。自分の立っている場所からすぐ近くにある柵の向こうに一人の青年が立っているのに気づいた。門の方ばかりに気を取られていたのでいつからそこに立っていたのかはわからないが、向こうもこちらを

――シルフィスを見ているようだった。

濃い緑色の上着とダークグレイのトラウザーズを身につけたその青年は服装からすると貴族だろうか。柔らかそうなふわりとした黒髪が包むその顔は端整で品がよさそうな顔立

ちをしていた。少なくとも警備にあたっている兵士ではないだろう。

　男性のチョコレートブラウンの目がシルフィスの目と合うと、彼は柵を摑んで勢いこんで言った。

「君はシルフィス？　レオノーラの妹のシルフィスだね？」

　シルフィスは話しかけられたことよりも、その彼からレオノーラの名前と自分の名前が出てきたことに驚いた。青年の顔にはまったく見覚えがなかったからだ。

「あ、あの、あなたは……？」

「シルフィス様、下がってください！　不審者です！」

　シルフィスを見張っていた兵士が血相を変えて走ってくる。それを目に留めた青年は顔を痛ましげに歪めさせて言った。

「可哀そうに。ディーステル伯爵に囚われているんだね。……でも大丈夫、必ず僕が伯爵から助けてあげる。大事なレオノーラの妹まであいつの好きにはさせないから」

「……え？」

　どういうことかと問いかけようと一歩足を踏み出した途端、兵士がシルフィスと青年の間に立ちふさがった。

「何者だ！　ここをディーステル伯爵邸と知ってのことか！」

　門の方から兵士がこちらに走ってくるのが見えた。この騒ぎを聞いて不審者に気づいたらしい。二人の兵士が門の外側から柵を回って青年の方に向かっていた。青年はそれを見て、チッと舌打ちすると素早くシルフィスを見て言った。

「もう少し、もう少し我慢してくれ、必ず助けるから！」

そして身を翻して、門とは反対の方に向かって走り出した。兵士が「待て！」と言いながらそれを追いかけていく。

大事なレオノーラ？　あいつ？

青年の突然の登場と退場に唖然としていたシルフィスだったが、ふと青年の登場で周囲の注意が自分から逸れているのに気づいた。シルフィスを見張っている兵士は青年が走り去った方を見ているし、門のところにいた兵士は青年を追いかけている。今なら隙をついて脱出できるかもしれない。

シルフィスは後ろ足でそっと兵士から離れて距離を取ると、門に向かって走り出した。そこには誰もいなかった。

「シルフィス様!?」

慌てたような兵士の声が背中から追いかけてくる。けれどそれには構わずにシルフィスは門に駆け寄り、馬車用ではなく人用の小さな門に手をかけた。思った通り、そこは施錠されていなかった。躊躇することなく門を開きそこから飛び出し、シルフィスは青年が向かった方とは反対の方角に走り始めた。追いかけてくる気配と、忘れられない面影を振り切るように――。

5　神の御許で

「ありがとうございました。とても助かりました」

　伯爵の屋敷を抜け出して二日後の昼、シルフィスは修道院の敷地に入る手前の街道で、馬車に乗った陽気な商人夫婦に頭を下げた。

「なあに、いいってことよ」

「そうよ、アグネス修道院のマザーたちには兄夫婦がお世話になっているからね。こんなのはお安い御用よ」

　中年の夫婦はそう言って豪快に笑った。釣られて笑みを浮かべながら、この人たちに行きあえたのは僥倖《ぎょうこう》だとシルフィスは思った。

　ディーステル邸を逃げ出し、追っ手を何とか撒いたシルフィスが街道に出て修道院がある方角に向かって歩いていた時に声をかけてきたのが、大きな荷台をつけた馬車に乗った彼らだった。親戚が修道院と取り引きがある関係で、彼らはシルフィスの着ている服がアグネス修道院の見習いのものであるとすぐに気づいたらしい。こんな離れた場所をなぜ歩いているのか不思議に思って声をかけてきたのだと言う。しばし躊躇したシルフィスは真実交じりの作り話を口にした。

一年前に亡くなった姉の婚約者に会いに来たのだと。だが彼は急きょ仕事で家を空けねばならなくなったため、修道院まで自分を送ることができなくなってしまった。そこで、街まで歩いてそこから乗合馬車を使って修道院まで帰ろうと思っていることなどを。

すると親切な夫婦は自分たちが送っていこうと申し出てくれたのだ。彼らは荷を修道院の先にある街まで届けるためにちょうど近くを通る予定なのだという。シルフィスはその言葉に甘えることにした。一刻も早く修道院にたどり着きたかったからだ。

シルフィスはアルベルトが簡単に諦めるとは思っていなかった。逃げたと知ったら必ず真っ先に修道院に来るだろうということもわかっていた。だから、彼が来る前に修道院のみんなに一目会ってこの土地を離れるつもりだった。運よく拾ってくれた商人夫婦のおかげでゆっくりみんなと別れの挨拶ができそうだ。

「本当にありがとうございました」

シルフィスは何度もお礼を言って彼らの馬車が視界から消えるまで見送った後、足早に修道院の方に向かった。

……不安がないわけではない。シルフィスは神に捧げた身でありながら戒律を破りアルベルトに抱かれた。それが無理やり奪われたものだったら言い訳もできただろう。けれど、最初はともかくその後は……。自ら求めたわけではないが、彼を受け入れそれに溺れた。

切れ切れにそれらの情景が脳裏をよぎり、木立の道を進むシルフィスの足が思わず止まる。けれどその光景を頭を振って追い出すと、彼女は気を取り直して足を進めた。

優しいマザーやみんなはそれでもシルフィスを受け入れようとしてくれるだろう。けれど、それに甘えることはできない。自分とアルベルトとのことに修道院を巻き込むわけにはいかないのだ。本当ならこのまま会わずに姿を消すのが一番いいのだろう。けれど、最後にどうしてもみんなと会いたかった。

修道院の裏に広がる畑が前方に見えてくると、シルフィスの歩みが速くなり、気づいたら小走りになっていた。けれどたどり着く前に異変に気づいて、足が止まった。今の時刻は午前の奉仕の時間だ。なのに畑には誰もいなかった。隣の果樹園にもだ。シルフィスから見える範囲内には一人の姿も見えず、あたりは静寂に包まれていた。

シルフィスの心に不安がよぎった。胸騒ぎがして、心臓が音を立てて耳元で鳴り響く。

……どうして誰もいないの？

シルフィスは走って畑を突っ切ると、修道院の建物の中に駆け込んだ。

「誰か、誰かいないの……!?」

……けれど、誰もいなかった。常に人がいて休みなく働いているはずの厨房も、いつもみんなでそろって食事をとっていた食堂にも、機織りの音がいつも響いているはずの織り部屋にも。マザーの部屋にも神父の部屋にも。誰もいなかった……誰も。

人が誰もいないだけではない。部屋の中にあったものまでもなくなっていて、どこもかしこもガランとしていた。

「……どうなっているの……？」

訳がわからなくてシルフィスは混乱した。彼女がアルベルトに連れ出されてから一か月。その一か月の間にこの修道院に何が起きたのだろうか。人間が暮らしていた気配すらも消されて、建物だけが打ち捨てられたようになっているだなんて。

シルフィスは人の姿を探して修道院を彷徨い歩く。けれど誰にも会えず、最後にこの建物で一番重要な場所——礼拝堂の入り口にたどり着いた。何かあってみんなでここにいるのかも……。そう一縷《いちる》の望みを抱いて扉を開ける。だが——。

「うそ……」

シルフィスは茫然とつぶやいた。備え付けられた聖歌台も説教台もいつもと変わらぬ姿でそこにあった。けれど、礼拝堂の奥、ステンドグラスから漏れる日の光に照らされた祭壇の上には何もなかった。いつもはそこにあるはずの聖母と神の姿を象った、この礼拝堂の中で最も神聖にして最も重要な聖体が——ない。

シルフィスはふらふらと祭壇前までたどり着くと、その場で地面に座り込んだ。幾度となくみんなで祈りを捧げてきた場所だった。静謐《せいひつ》な空気も、入り込む光も、いつもの礼拝堂と何も変わらないのに。けれど今は単に空虚な場所でしかなかった。

何でこんなふうになっているのだろう。みんなは一体どこに行ってしまったのだろう……。

混乱し、恐怖と不安にシルフィスは両手に顔をうずめた。と、その時だ。カタンと音を立てて礼拝堂の横の小さな扉が開いた。ハッと顔を上げたシルフィスはそこに人の姿を認めて目を見開いた。

「ヴォルフ!?」

扉から入ってきたのは、雑用係として住み込みで雇われているヴォルフだった。茶色のチュニック姿の彼は、祭壇の前にシルフィスの姿を認めて、軽く目を見張った。

「ヴォルフ！」

シルフィスは立ち上がるとヴォルフに駆け寄った。

「ねえ、何があったの!?　みんなはどこへ行ってしまったの!?」

「落ち着いてください、シルフィス様」

彼の袖を摑んで矢継ぎ早に問いかけるシルフィスにヴォルフは宥めるように言った。

「聖体はどこに……え……？」

シルフィスは違和感に言葉を切った。まじまじとヴォルフを見上げる。シルフィスの黒い瞳と、彼の黒茶色の瞳が交差する。再びヴォルフは言った。

「落ち着いてください、シルフィス様。修道院については心配いりません」

「……あ、なた……？」

ヴォルフは口が利けないはずだった。現にシルフィスはヴォルフが修道院に来てから半年間、一度も彼の口から音が漏れるのを聞いたことがない。けれど今、シルフィスは確かにその口から言葉が紡がれるのを耳にしていた。そして——その声に聞き覚えがあった。いつか扉越しに聞いた声。淡々とした、けれどどこか威圧感を抱かせる口調でシルフィスに告げられた言葉。

『私はアルベルト・ディーステル伯爵の従者を務めている者です』

『ですが、シルフィス様。我が主が譲るのはここまでです』

——まさか……。

嫌な予感に耳の奥でドクドクと鼓動が鳴った。彼の袖を摑んでいた手を離し、震える足でシルフィスは一歩下がる。

「まさか、あなたは……」

「シルフィス」

ビクンとシルフィスの身体が跳ねた。背後から轟いた聞き覚えのある声に彼女の顔から血の気が引いていく。信じられない思いでぎこちなく振り返ったシルフィスの目に映ったのは、彼女が入ってきた扉の前にたたずむ、ここにはいないはずの人だった。後ろに流された淡く輝く金の髪に感情の見えないブルーグレイの瞳、背は高く引き締まったその身体を黒い上着とトラウザーズに包み、全身黒ずくめの、まるで悪魔のような冷たく魅惑的な姿をしたその人――アルベルト・ディーステル辺境伯。

彼はシルフィスを見据えながら物憂《ものう》げに言った。

「良い子で待っていろと言ったはずなのだがな。聞き分けのない子供には仕置きが必要か」

「な、ぜ……？」

どうしてここに彼がいるのか理解できなかった。砦にいた彼がシルフィスの逃亡を知らされても、ここに駆けつけるまでには少なくとも三日以上はかかるはずなのに。

「なぜ、ここにいるのか聞きたいか？」

アルベルトの薄い唇が弧を描く。

「簡単だ。砦に行かずに最初からここにいたからだ。砦に行くと周囲に触れ込んだのは、ネズミを炙り出すためと――」

アルベルトはつかつかと近づき、怯むシルフィスの腰に手を回してもう片方の手で顎を持ち上げた。

「君がどうするか試すためだ。警備を手薄にして、脱出しやすい機会を与えたら、君がどうするか知りたかった」

シルフィスは目を見開いた。監視の目が少なくなったのはそういう思惑があったからなのか。考えてみればあれほどコリンソン家との約束にこだわっていたアルベルトが、シルフィスへの監視の目を減らすなどありえないことだった。それなのに自分は……。シルフィスはぶるっと震えた。自分から逃げたシルフィスをアルベルトはどうする気だろうか。

アルベルトは面白くもなさそうな笑みを浮かべてシルフィスの修道服を見下ろした。

「予想していたとはいえ、私より修道院を選ぶとは……やはりまだ私に堕ちていないのだな。身体に言い聞かせるだけではどうやら足りないらしい」

「閣下、あまり無体なことは……」

ヴォルフが顔を顰《しか》めて言った。アルベルトの登場にしばし彼の存在を忘れていたシルフィスはハッとして問うた。

「ヴォルフは……まさか、あなたの……」

「ああ、ヴォルフは私の乳兄弟であり、従者だ。君の監視と護衛のためにこの修道院に送り込んだ。以前、扉越しに会話をしたことがあるはずだ。だから声から君に悟られないようにするため、口が利けないということにした」

「監視……」

背筋にすぅと冷たいものが走る。ずっと見張られていたのだ。口は利けないが、気配りのできる優しい青年だと思っていたのに。みんな彼を気に入っていたのに。すべてまやかしだったのか……。シルフィスは裏切られた気分でヴォルフに目を向けた。

「……私たちを騙していたのね？」

「申し訳ありません」

シルフィスの目に傷ついた感情が宿っているのに気づいたのだろう、ヴォルフはそう言って目を伏せた。そのヴォルフにアルベルトが命じる。

「ヴォルフ、お前は扉の向こうで人が入ってこないように見張っていろ。どうやら私の花嫁はもっと躾ける必要があるようだ」

「閣下……」

「行け、ヴォルフ」

「……わかりました」

小さく諦めたような吐息をつくと、ヴォルフはアルベルトとシルフィスに一礼をして彼女たちが入ってきた正面の扉に足を向ける。やがて扉が閉まる音がしてヴォルフが姿を消すと、礼拝堂にはシルフィスたちだけになった。

「……シルフィス。君はよほどこの修道院が好きなようだな」

静かな口調でアルベルトはそう言いながら、怯えるシルフィスの背中にすっと手を回した。その手が背中を撫で上げ、ハイネックの修道服を留めている項《うなじ》のボタンにそっと触れる。シルフィスはその優しげにすら聞こえる言葉に身体を震わせた。彼が腹を立てているのは明らかだったからだ。だが、その言葉で大事なことを思い出す。

砦には行かずにここにいたというアルベルト。この修道院の異変の原因が彼にあることは間違いない。

「ア、アルベルト様……。修道院のみんなをどうしたのですか？」

嫌な予感に、彼に縋るように尋ねる。彼はシルフィスが修道院に入ったことをよく思っていない。彼女が口にすることさえ嫌がっていた。その彼がこの修道院に姿を現すということは――。

「みんなに、何をしたのですか……？」

どこかに連れ出したのだろうか、それとも、ここから追い出したのか――。

「君が知る必要はない。忘れろ」

「アルベルト様！」

「……そんなに忘れられないのなら、私が忘れさせてやろう」

そう言うやいなや、アルベルトはシルフィスの修道服の項に手をかけるとそれを無遠慮に裂いた。

――ビリッ。布が裂ける音と共に、背中のボタンがいくつか弾け飛ぶ。

「なっ!?」

だがそれにシルフィスが狼狽える間もなく、アルベルトは白い修道服を、中に着けていたシュミーズごと胸の下まで引き下ろしてしまう。ポロンと形の良い乳房が戒めを失ってまろび出て、外気に触れたその先端が急速に尖っていった。それを見下ろすアルベルトの目が欲望に色を濃くしていく。

「あ、いやっ！」

礼拝堂という神聖な場所で素肌を——しかも胸をさらけ出されたことに仰天したシルフィスは慌てて手で隠そうとして、腕が上がらないことに気づく。肘のところまで引き下ろされた修道服が戒めとなっていてそれ以上動かせないのだ。慌てる彼女の腰を引き寄せてアルベルトが耳に口を寄せて囁いた。

「君が修道女にふさわしくないことを、君自身と神に教えてやろう。ここで、君が神に祈りを捧げていたこの場所で、淫らに抱かれて私に溺れるがいい」

シルフィスの顔から血の気が引いた。この神聖な礼拝堂でアルベルトはシルフィスと交わるつもりなのだ。彼女が修道女としてふさわしくないことを神に見せつけるために。

「だ、ダメです！　やめてください！」

聖体がなくなっている今、ここは正しい意味では礼拝堂として機能はしていない。だがシルフィスや修道女、子供たちが毎日祈りを捧げていたここは、彼女にとっては神聖な場所なのだ。聖体があろうとなかろうと関係ない。決してそのような行為をしていい場所ではない。そんなことは許されない。

「ここは、ここだけは嫌です！」

けれど、いやいやと顔を振るシルフィスをアルベルトは冷笑した。

「嫌？　ここは嫌だと言っていないようだが」

ぷっくりと膨らんだ胸の先端をぴんっと指で弾く。「うっ」とシルフィスは息を飲んだ。お腹の奥がずくんと疼く。

「こ、これは……外の空気に、触れたから……」

「ほう、ではここは？」

アルベルトの手がスカート越しに割れ目に差し込まれる。ドロワーズと、決して薄手ではない修道服越しだったにもかかわらず、秘部にアルベルトの手のぬくもりを感じてシルフィスの腰がビクンと跳ねた。じわりとそこに何かが染み出していく。この一か月の間にすっかりなじみになったものが。

……そしてそれをアルベルトは知っているのだ。触れられるだけでシルフィスが感じてしまうことを。だがそれも当然だ。彼が拓いて開発した身体なのだから。

こんな時なのに感じてしまう自分に強い羞恥を覚え、シルフィスは白い肌を薄紅色に染めながら、もがいてアルベルトの手から逃れようとした。だが、いきなり彼が手を放した拍子に勢い余って倒れ込んでしまう。

痛みに一瞬息を詰めたシルフィスだったが、構わず四つん這いのままアルベルトから離れようとした。だが、それを許すアルベルトではない。彼はシルフィスの腰を捕まえ、スカートをまくりあげるとあっという間にドロワーズのリボンを解いて、下半身から引きちぎるように剝ぎ取った。それからトラウザーズの前を寛がせて、猛ったものの切っ先を蜜を湛えたその場所に押し当てると、後ろから一気に貫いた。

「……い、いやぁぁぁぁぁ！」

シルフィスの絶叫が礼拝堂の中に響き渡った。

前戯もなく、満足に解されていないその場所に、アルベルトの猛ったものが灼熱の塊となって突き刺さる。奥まで貫いていく衝撃と痛みに、シルフィスは歯を食いしばった。

……けれど痛みも衝撃も一瞬のことだった。アルベルトの姿を見た時から潤い始めていたその場所は、すぐさま慣れ親しんだ楔を受け入れるための準備を整えていく。奥からどっと蜜が溢れだしてくるのを感じた。

「は……あ、くっ……」

そしてほんの少しの抽挿でシルフィスのそこはアルベルトを受け入れる準備を終えた。強張っていた媚肉が柔らかく解け、記憶しているその形により添って包み込むように蠢いていく。

「ほら、ここはこんなに涎《よだれ》を垂らして悦んでいるじゃないか。イヤらしい女だ」

楔の太い部分に掻きだされて下肢を汚していく蜜を愉悦を含んだ目で眺めならアルベルトが揶揄《やゆ》する。

「い、いやぁ……あ、んんっ」

だがそう言いつつ、四日ぶりにアルベルトを受け入れた胎内はシルフィスの意思とは裏腹に悦びに震え蜜を垂れ流す。グジュグジュと粘着質な水音が繋がっている部分から響き、シルフィスの耳を犯した。ここは大切な場所なのに！　そう思えば思うほどなぜか奥がきゅんとなって蜜が染み出してくる。

「……あンっ、んんっ、んっ、あ、ああっ……」

嬌声が漏れるのを止められなかった。この神聖な場所で、お尻だけ高くつきだした恥ずかしい姿で後ろから犯されているのに。だが、太い部分で感じるところを擦られるたびに甘い声が漏れるのも、つま先や指先まで痺れるような快感が広がっていくのも止めることはできなかった。

「だ、め、なのに。こんなのダメ、なのにっ……」

生理的なものなのか羞恥のせいなのか区別のつかない涙が溢れてシルフィスの頬を濡らした。

「嘘つきめ、何がだめなものか」

アルベルトが突き入れたまま、ぐるっと腰を回し中をかき混ぜた。

「あ、ああっ！」

涙を散らしながら背中をのけぞらせたシルフィスの目に、かつて聖体が置かれていた祭壇が飛び込んできた。快楽に溶けかかっていた理性に羞恥の矢が刺さる。だがそれを見越したように、アルベルトが言葉で嬲った。

「こんな淫乱な身体で修道女に戻れると思っているのか？　ほら、腰が動いているぞ、シルフィス」

その言葉通り、ゆっくり突き入れるアルベルトの動きに合わせて無意識のうちに腰が揺れていた。

「い、いやぁ……！」

シルフィスは自分の淫らさを目の前に突き付けられた気がした。純潔を誓った場所で男と交わり、神聖な場所を汚しているだけでなく、自ら進んで貪ろうとする。彼の屋敷に囚われている時はそれでもまだよかった。言い訳がたった。だが、この場所でのそんな自分の行いは神への冒瀆《ぼうとく》だけでなく、シルフィスを優しく受け入れ、ここで一緒に祈りを捧げてきた修道女たちをも裏切る行為に等しい。二度と顔向けできなくなってしまう。

シルフィスの心が絶望に真っ暗に染まった。けれど、なおも身体は快楽を貪ろうと欲望のリズムを踏む。

「んん、あ、あ、ん、あンっ」

――気持ち、いい。

膣壁を擦りあげるその太い部分も、子宮の入り口をコツンコツンと叩くその先端も、媚肉を引きずり出すように刺激を与えながら抜けて、再びみっちりと埋め尽くしていくその感触も。何もかもが、彼女の官能を揺さぶり、シルフィスの理性を溶かしていく。

「もうわかっただろう？　神聖な場所にもかかわらず男に抱かれて悦ぶ、君はそんな女だ。ああ、ほら、嬉しそうに私を締め付けているのがわかるか？」

アルベルトの淫らな言葉に反応して、シルフィスのそこはきゅっきゅと収縮を繰り返して、彼の剛直を引き絞ろうとする。

「や、あ、やぁ……、違う、やめてぇ」

だがシルフィス自身どうすることもできない、無意識の反応だった。けれどそれがかえってシルフィスには自分の淫猥さを見せつけられているようでたまらない。そしてその背徳感が更に悦楽を呼びこむ。奥から溢れ出てくる蜜が掻きだされ、シルフィスの腿を伝わっていった。飛び散った愛液が、床を汚していく。

「ああ、あ、あ、ああんっ」

嬌声がひっきりなしに口からこぼれて礼拝堂の中に響き渡る。と、不意にアルベルトが動きを止めた。

「……ふ、ぁ……？」

「礼拝堂の硬い床では、辛いだろう？」

奇妙に優しい声が背中にかかった。けれどそれを怪訝に思う間もなく左足を抱え上げられ、胎内に剛直を埋め込まれたまま体位を変えられる。正面を向かされ、そして今度はシルフィスの腰を抱えたままアルベルトが後ろにゆっくり倒れていく。

「ひぅっ……！」

胎内でアルベルトの楔が媚肉を巻き込みながらぐりゅと音を立てて回り——それからズンと深く突き上げられた。……いや、自らの重みで深く沈み込まされたのだ。余韻を残す甘い衝撃にシルフィスは目を閉じ、唇を噛んで耐えた。

……気が付くとシルフィスは礼拝堂の床に横たわったアルベルトの上で馬乗りになっていた。だが、もちろん普通に彼の上に乗っているわけではない。シルフィスの白い修道服のスカートが覆い隠してはいるが、その中で彼女はアルベルトと繋がり、根本まで深く受け入れていた。

「あ、いやぁ……！」

取らされた姿勢の恥ずかしさに、シルフィスはアルベルトの上から退こうとする。けれどアルベルトの手が腰を押さえていて結合を解くことは叶わない。更に退こうとした罰とばかりにアルベルトが腰を突き上げる。むき出しの乳房がふるんと揺れ、スカートの中から濡れた粘膜の音が聞こえた。

「んぁ……っ」

たまらず喘ぐシルフィスに、アルベルトが下で悠然と言った。

「シルフィス、自分で動け」

「……え？」

「君の淫らな様を神に見せつけてやろう」

「なっ……！」

シルフィスはアルベルトの言葉を理解して青ざめた。この体勢になったのはシルフィスが自ら求め快楽を貪る姿を晒すためなのか。

「そ、そんなこと、できませんっ！」

首を横に振る。だがその心とは裏腹に、奥から蜜が零れて彼のトラウザーズを汚していく。媚肉が動きの止まったアルベルトの剛直に絡みつき、先を促すようにうねるように締め付ける。アルベルトはふっと淫靡な笑みを浮かべた。

「ここはそうは言っていないぞ」

シルフィスのスカートの中に手を入れて、繋がっている場所のほんの少し上にある花芯に指で触れる。そこはすっかり立ち上がり充血してむき出しになっていた。

「ひぅ……んんっ！」

敏感なその蕾をつままれてシルフィスの腰がビクンと跳ね上がった。その直後にまた自らの重みで沈み込み、壁をこする摩擦と奥深くに与えられた快感に全身を震わせる。

「身体が求めるとおりに動けばいい。ほら、手伝ってやろう」

そう言って愉悦に嗤いながらアルベルトは腰を突き上げる。二度、三度と。

「あン、ああ、ああっ……！」

アルベルトの突き上げに合わせて、シルフィスの胸がぷるんぷるんと扇情的に揺れる。ズンズンと奥に打ち込まれて、沈んでまた奥を穿たれて、指先にまで快感の波が押し寄せる。グジュグジュとスカートからは籠った水音が響いていた。

——気が狂いそうになるくらい、気持ちいい。

思考が白く染まっていく。頭の中が痺れて何も考えられなくなっていく。ここがどういう場所なのかすらも忘れそうになる。気をしっかり持とうと抗うように頭を振るが、指で再び花芯を嬲られながら突き上げられて、目の前にぱちぱちと何かが弾け飛んだ。

「あ、あ、ああっ！」

「動け」

真っ白に塗りつぶされていく思考に、アルベルトの声が轟く。促すようにゆるゆると突き上げられて、いつしかシルフィスはそのリズムに合わせて身体を揺らし始めていた。

「……あ、はぁ……ん、んんっ」

両手をアルベルトの胸に置き、それを支えに腰を動かす。秘部を擦り合わせるように

上下させ、双丘を浮かせては落とし奥の感じる場所に自ら彼の楔を導いていく。その動きにぎこちなさはなかった。すでに何度もこの体位でアルベルトを受け入れていたからだ。刻み込まれた淫猥な身体の記憶がシルフィスの意思に反して、勝手に快感を貪ろうとする。

――ここでは、ここでだけは駄目、なのに……！

シルフィスの理性が悲鳴を上げる。生理的なものではない涙が目に浮かんだ。けれど、スカートの中の淫らな動きは止まらない。この一か月の間に馴らされ躾けられた身体は快感に従順過ぎるほど従順だった。

「あ、ん、んんっ、んんっ」

抑えようと思っても出てくる嬌声。生み出される摩擦による快感と奥に与えらえる充足感にシルフィスは全身を戦慄かせながら、そんな自分に絶望する。

「……駄目……なのに、ここは、駄目なのに……！　止まらない……！」

泣きながら喘ぎともつかない声を上げる。いつの間にかアルベルトは動きを止めていた。シルフィスは自ら腰を揺らし彼の猛った剛直から生み出される快感を貪っていたのだ。

「あ、あン、んんっ」

アルベルトはそんなシルフィスを下から愉悦を含んだ目で見つめていた。彼女の痴態を余すことなく眺める彼の視線に心が震える。自分がどういう姿を晒しているのかよくわ

かっていた。修道院の最も神聖な場所で胸を晒しながら男の上にまたがり、腰を振ってい
る淫らな女。それが自分だ。神への純潔を誓ったその場所で男と交わり、嬌声を響かせて
いるふしだらな女――。

　なのにどういうことだろう。情欲のこもったブルーグレイの目に見られると更に身体が
熱くなった。ぞくぞくと背中に悦喜の波が走り、胎内がうねる。

　……欲しい、もっと……もっと……。

　彼がつと手を伸ばし、彼女の動きに合わせて揺れる胸の先端をつまみ上げた。

「あ、あっ！」

　腰がビクンと跳ね、突然与えられた刺激に無意識のうちに彼の剛直を締め付けていた。

「淫らな身体だな。ここがどういう場所か知っているだろうに」

　アルベルトは嗤いを浮かべて、からかうようにシルフィスを突き上げる。

「あん、あ、ああっ！」

　奥の感じるところを穿たれ、全身を走る快感にシルフィスの口から嬌声が上がった。

「これでわかっただろう。男を咥えこんで悦んで腰を振る。そんな淫乱な身体を持つ君は
もはや修道女でも神の花嫁でもない――私の女だ」

　――もはや修道女ではない。

　シルフィスの目から新たな涙が零れ落ちた。そんなことはわかっていた。彼に溺れ、修

道女の本分から逸脱した自分がもうここにいる資格はないことは。ただ、一目みんなに会いたかっただけ。……でもそれも、もう……。

「それに自分でも気づいているはずだ。いつも以上に乱れていることを。感じているのだろう？　聖なる場所を淫らな行為で汚していることに」

「あ、い、いやぁ……言わないで……っ」

耳を塞ぎたかった。気づきたくなかった。認めたくなかった。けれど……。

むき出しの胸を揉みしだかれながら、アルベルトに下から激しく突き上げられる。ズンと奥に穿たれてシルフィスの身体が弾んだ。

「ああっ！」

反動で深く沈み込み、再び奥を貫かれる。グジュンという濡れた水音がスカートの中から聞こえた。

――ああ、神様。お許しください。

「許して……許して……」

揺さぶられながら何度もつぶやく。けれど、自分の身体が自分を裏切っていた。許しを請いながらも、腰の動きはアルベルトの律動に合わせて更に快感を貪ろうとし、溢れ出てくる蜜も止まらない。それどころか、彼の言うとおり、シルフィスはかつて自分が祈りを捧げた場所でアルベルトと交わっている背徳感にいつも以上に感じていた。

……なんて自分は罪深いのだろう。けれどもそんな罪悪感すらせり上がってくる絶頂の予感に押し流されていく。

「あ、あ、や、ゆる、して……」

目の前がチカチカして、思考が真っ白に塗りつぶされる。そんな彼女を突き上げ、揺さぶりながら、アルベルトが言った。

「神に許しを得る必要はない。君は私のことだけ考えていればいい」

「や、あ、ああっ、んんっ。許し……て……」

「もう二度と私から逃げようだなんて思うな」

「あ、あ、ん、んっ」

白い波がすぐそこまで来ていた。けれど涙にかすんだ目が祭壇を捉えるとかろうじて繋いでいた理性が悲鳴を上げる。神聖なこの場所で浅ましい姿を晒したくはなかった。

「や、嫌、ここはダメ、ダメなの！」

いやいやと首を振って波に抗うシルフィス。だがそれを許すアルベルトではない。

「我慢することはない。イけ」

そう言って、執拗にシルフィスが感じる場所を突き上げる。そして快感に馴らされた身体はあっけなく堕ちた。

「や、あ、あああああああ！」

頭をのけぞらせ、礼拝堂に甘い悲鳴を響かせながらシルフィスは絶頂に達した。だがアルベルトは、荒い息を吐きヒクヒクと小刻みに震える身体を、休みなく突き上げてくる。

「やっ、だめ、イッたばかり、なのにっ、ああ、あ、んぅ……！」

達して更に敏感になった胎内を責められてはたまらない。シルフィスは熱が収まらないまま再び急速に追い上げられていった。だが、アルベルトの次の言葉に、熱くなる身体とは裏腹に心が冷えていく。

「これは私に対する償いだ、シルフィス」

「……償い」

「そうだ。言ったはずだ、失ったものを返してもらうと。君は私に仕え、そして、ディーステル家を継ぐ子供、コリンソン家を継ぐ子供を産むんだ」

……そうだ。これは償いの行為。結婚の話が出てきて頭の片隅に追いやられていたが、レオノーラを失う原因を作ったシルフィスがアルベルトにしなければならない償いだ。

……どうして忘れていたのだろう。

ぶるっとシルフィスは震えた。……たぶん忘れたかったのだ。自分を抱く理由が償いのためだけだと思いたくなかったから。

「早く私の子を孕め、シルフィス」

「……ああっ！」

強く突き上げられ、身体が弾んだ。その一瞬後には重みで沈んだ身体に再び楔が深々と打ちつけられる。アルベルトの剛直の先端がシルフィスの子宮の入り口をコツコツと叩いていた。最初の頃は鈍い痛みを覚えていたそれも、今では喜びを生み出す行為に変わっていた。震えるような快感が背筋を駆け上ってくる。

そんな中シルフィスは息を弾ませながら、涙を流して許しを請う。神に、アルベルトに。

……許されるはずはないのに。

「許しなど必要はない。君は私に従い、私の子を産めばいい。それが私に対する償いだ。……ほら、そろそろ君の中に出すぞ。しっかり受け止めろ。……神に見守られながらな」

「だ、ダメ！　……いやぁ！」

シルフィスはその言葉に必死に首を振った。みんなが祈りを捧げていた場所で、白濁を注ぎ込まれる——そんなことになったら二度と修道院のみんなに顔向けができなくなる。たとえみんながこの場所であったことを知らなくても、シルフィス自身が自分を許せない。それに……シルフィスにはわかっていた。白濁を受けたらきっと自分は乱れ狂ってしまう。かろうじて繋いでいた理性は跡形もなく飛んでしまうに違いない。

「お願い……駄目……ここでは、ここでだけは……！」

「ここだからいいんだ」

アルベルトがうっすらと汗を浮かべながら嗤った。

「私の腕の中で淫らに狂うがいい。君が誰のものか神と君自身にはっきり示してやろう」

「あ、ああっ」

「君は私のものだ。その髪の毛一本ですら」

独占欲を滲ませたその言葉にシルフィスの心が歓喜に震えた。その瞬間を狙ったかのように、アルベルトがシルフィスの腰を掴んで一際強く突き上げる。グジュンとスカートの中で淫音が聞こえたと思った次の瞬間――。

「くっ」

「あ、ひぁあああああ！」

ズンと奥の奥を穿ち、子宮口に突き刺さった太い部分の先端から熱い飛沫が注がれた。子宮の中に広がる熱にシルフィスの思考が弾け飛ぶ。

「い、やあああああああ！」

背中を反らせ、その熱を受け止める。この一か月の間で白濁の味を覚えさせられた子宮が狂ったように歓喜に震えてそれを飲み干していく。その衝撃と熱にシルフィスは理性を完全に手放した。

「ん、ん、あ、あ、あン、んっ、んぅ」

眉間にしわを寄せ、半開きの口から喘ぎともつかない声を漏らすシルフィスを下から愉悦を含んだ目で見上げながら、アルベルトは軽く突き上げ、最後の一滴まで彼女の中に白濁を注ぎ込む。涙目で切ないような惚けたような表情を晒して彼を子宮で味わっているシルフィスは、この上なく淫靡だった。

「子種を注がれながらイッたか。イヤらしい女だ」

「あん、はぁ……ん……」

「もうこの服は君にふさわしくない」

　アルベルトはそう言うと、シルフィスの背中に手を回して修道服に手をかけて、無遠慮に左右に開いていった。残りのボタンが男の力強い手によって引きちぎられていく。やがて服として用途の果たせなくなったその布を、彼はシルフィスの身体から引きはがして床に打ち捨てた。繊細なレースがあしらわれたシュミーズもそれに続く。

　――ステンドグラスから零れる光の中に、白いシルフィスの裸体が晒された。ツンと上を向いた形のよい乳房も、細い腰も、アルベルトと繋がったままの、蜜と白濁にしとどに濡れている部分も。時折ビクンと身体を震わせるのは、彼女の中でまだ絶頂の余韻が続いているからだ。

　その光景をしばし堪能した後、自分の上に乗った白く丸いお尻に手を滑らせ、我が物顔で撫でながらアルベルトは言った。

「さぁ、シルフィス。私なしではいられない身体に躾けてやろう。二度と逃げ出そうなどとは思わないように」

アルベルトは柔らかな双丘を摑んで指を食い込ませながら、再びゆっくり律動を開始する。少し遅れてシルフィスの腰がその突き上げるリズムに合わせて揺れ始めた。

圧倒的な快感の奔流に流されてシルフィスの理性はすでにない。ここが礼拝堂であることも、大切な服を破かれたことも頭になく、ただただ息を弾ませ、蕩けたような表情で彼のしていることを受け入れ従っていた。

「ん、ん、あん」

二人が繋がっている場所からはグジュグジュと粘着質の水音が響く。先ほど自分が放った白濁を胎内の壁に塗り込めるようにかき回し、更に音を大きく響かせながら、アルベルトは囁いた。

「シルフィス、早く私に堕ちてこい」

――もうとっくに堕ちているのに、これ以上彼は何を望むのか。

欲望にけぶる思考の片隅でシルフィスはぼんやり思う。けれど、それもすぐに喜悦に溶けていった――――。

人気のない礼拝堂の中にシルフィスの嬌声が響きわたる。それはアルベルトの飽くなき欲望が満足するまで――彼女が抱き潰されるまで続けられた。

6　宴と秘密の恋人たち

色とりどりの華やかなドレスを纏った貴婦人と派手な装飾が施された服を纏った貴族の男性たちがディーステル伯爵家のホールに大勢集まっていた。彼らはそれぞれ談笑したり、ホールの中央でダンスを披露していたりする。そんな彼らの一番大きな輪の中心でシルフィスは顔に笑みを貼り付けてアルベルトの横に立っていた。

ディーステル家の豪華なホールでは一年に一度開かれるパーティのメインの一つである夜会が開かれていた。社交を好まないアルベルトはめったに他家の催しには顔を出さない。それ故、彼と懇意になりたい貴族たちは一年に一度のこの席にこぞって参加するのだ。近隣の貴族だけでなく、遠方から参加する者もいるという。

そんな大勢の貴族たちの前で、先ほどアルベルトがシルフィスとの婚約を発表した。それで祝いの言葉をかけようと彼らの周りに人が集まっているのだ。シルフィスは物見高い彼らの前で隙を見せるわけにはいかないと、全神経を集中して精一杯「婚約して幸せな令嬢」に見えるように笑顔を作っていた。そんなシルフィスをよそにアルベルトはいつものように口を引き結んだ難しげな顔をしている。けれど、守るように……あるいは自分のものであると示すように、常にその手はシルフィスの腰に回されていた。そのおかげか、面と向かってこの婚約に疑問の声を投げかける人間はいない。

けれど、内心眉を顰めている人間は多いだろう。ここにいる大部分の貴族たちはアルベルトが一年前レオノーラと婚約をしたのを知っているのだから。当初、アルベルトに嫁ぐと思われていたシルフィス。けれど蓋を開けてみたら、婚約者と発表されたのは姉のレオノーラの方。そのレオノーラが不慮の事故で亡くなり喪が明けた途端にシルフィスと結婚するという。一体どうなっているのかと疑問に思わない人はいないだろう。現に夜会が始まってすぐ、挨拶に立ったアルベルトが彼女との婚約を発表した時、貴族たちの間に広がったのは戸惑いと動揺だった。アルベルトに取り入って妻の座を得ようとしていた令嬢や未亡人、それと自分の娘を売り込もうとしていた貴族たちは特にそうで、何か言いたそうにしていたが、アルベルトにひと睨みされて受け入れるしかなかったようだ。彼らは今、傍に来ては、祝いの言葉を口にする。けれど内心そうは思っていないのは明らかだ。そんな彼らの前で隙は見せられなかった。

でも……。息が詰まってシルフィスは思わず胸を手でそっと押さえた。この息苦しさは一年ぶりに身に着けたコルセットのせいばかりではないだろう。

　この日のためにアルベルトが用意していたシルフィスのドレスはアッシュローズ色の、裾にレースをふんだんに使ったものだった。肘から広がったパコダスリーブの何段にも重なった白いレースの袖が華やかさを演出していて、当代風にやや襟ぐりは深いものの、他の女性が着るドレスのようには肩は露出しておらず、華やかさと同時に楚々《そそ》とした印象を与えるデザインだ。若々しい彼女の清楚で可憐な雰囲気とよく似合っていて、本人は気づいていないが会場にいる独身男性の目を惹きつけていた。けれど彼らのその好奇の視線もまたシルフィスの息苦しさの原因の一つだ。

　そして……最大の原因は隣にいるその人。さっき大勢の前でシルフィスとの婚約を発表したアルベルトだ。アルベルトはいつものように黒を基調とした服装だった。けれど普段のシンプルなものとは違って装飾を重ねたきらびやかなもので、彼の超然とした容貌にいっそう華をそえていた。

　そのアルベルトは、彼女の苦しそうなしぐさに気づいたのだろう、そっと尋ねてきた。

「少し風にあたるか？」

「え？　でも……」

　アルベルトはこの夜会の主催者だ。そう簡単に席を外すわけにもいかないだろう。

「構わない。もう重要な貴族たちとの挨拶はあらかた済んでいる」

アルベルトはそう言うと、腰に回した手で彼女を促してホールのガラス戸に隣接したバルコニーの一つにシルフィスを導いた。悪いとは思いつつも、シルフィスは素直に従う。戸を抜けると涼しい夜風が頬に当たり、息苦しさが抜けていくようだ。シルフィスはホッと息をついた。

「疲れたか？」

「……はい。……こういうことをすべて捨てた気でいましたから」

夜会など二度と出ないものと思っていた。きらびやかなドレスも豪華なホールも、軽快な音楽も、贅沢《ぜいたく》な料理も。あの頃はそれがアルベルトに出会える唯一の機会だったから喜んで出席していたが、そのすべてから離れてみて、シルフィスは自分がそういうものが実はそれほど好きではないことに気づいたのだ。彼女が好きだったのは堅苦しい礼儀作法から解放されて、屋敷の周辺の林に行って散策したり、動物たちに餌付けしたり、そんな誰にも見られずに自由にのんびり過ごせる時間だった。

なのに、こうして一度は捨てたはずの場所に引き戻されるだなんて……。

「捨てることを許した覚えもないが……まぁ、いい。約束は守れ、シルフィス」

「……はい」

震える声で答えてシルフィスはそっと目を伏せた。

――約束。アルベルトの妻となり、彼の子供を、ディーステル伯爵家を継ぐ子を産むこと。それがディーステル家とコリンソン家の間の、いや、すでにアルベルトとシルフィスのものとなった約束だ。

……あの礼拝堂での情事の後、気絶したシルフィスが目覚めるとすでにこのディーステル邸に連れ戻されていた。シルフィスの逃亡などまるでなかったかのように、いつもと変わらぬ態度で世話をやくファナがいて、パーティの準備で屋敷内は慌ただしいものの、ディーステル邸での変わらぬ日常が彼女を待っていた。

そしてシルフィスは、礼拝堂でのことに打ちのめされ、その後のすべてを諦念と共に受け入れた。罪悪感と無力感に抵抗する気力はすでにない。もう帰る場所も帰りたいと思う心もなくなっていた。心も身体もアルベルトに縛られ、彼の腕の中で生きるしかない哀れな虜囚だ。

けれどどうしても一つだけ、シルフィスには譲れないことがあった。修道院のみんながどうなったのか、それだけはどうしても知りたかった。

『もう二度と逃げ出しません。あなたの妻となり子供を産むことにも従います。どんなことをされてもいい。だから、だから、修道院が、みんながどうなったのかだけ、せめて教えてください』

シルフィスは何度もアルベルトに懇願した。最初は「修道院のことなど忘れろ」としか言わなかったアルベルトだったが、やがて条件付きで折れた。

『君が私と結婚したら教えてやろう。むろん結婚宣誓書に署名をした後ということだが』

言い換えれば、修道院のみんながどうなったのか知りたければ自主的に自分と結婚しろと言っているのだ。そしてそれは名実ともに結婚してから、逃れることができない状況になってからだという。シルフィスは従う以外に道はなかった。この屋敷でも顔を見るようになっていたヴォルフに尋ねても「閣下の許可なく教えることはできません」と言うばかりで、他に知る方法はないのだから。

『……わかりました。結婚します。結婚しますから必ず教えてください』

『ああ、約束しよう』

こうしてアルベルトとシルフィスの間で約定が結ばれた。シルフィスは修道院のためにアルベルトにわが身を売り渡し、アルベルトは妻と後継者を得る。不公平なようだがもともと償いとして求められていたことだ。何も変わりはしない。シルフィスに失うものなどもうないのだ。

「シルフィス」

苦い思いで反芻していたシルフィスは、不意に顎を摑まれ仰向かされた。アルベルトが覆いかぶさってくる。それに目を閉じて応えた彼女の唇にアルベルトの唇が重なった。

「……ん……っ」

唇に間からするっと入り込んできた彼の舌を招き入れる。絡まってくる舌の感触にゾクゾクとした快感を覚え、シルフィスは自分の足の間がはしたなくも潤っていくのを感じた。子宮がずきずきと疼きだす。そんな自分の反応を心のどこかで冷笑しながら、シルフィスがアルベルトとの口づけに夢中になっていると、不意に咳払いの音が聞こえた。慌てて唇を離して扉の方を振り返ったシルフィスの目に映ったのは、濃い緑色の装飾のついた上着を羽織り、ワインを片手に苦笑している従兄弟のロッシェの姿だった。

「邪魔して悪いけど、ここだとちょっと人目に付きやすいからマズイと思うよ」

「ロッシェか。本当に邪魔だな」

「ロ、ロッシェお兄様」

シルフィスは狼狽え、顔を赤く染めた。なんという場面を見られてしまったのかと思う。しかも彼の言うとおり、バルコニーを覗き込めば誰にでも見られてしまう場所で、簡単に彼の口づけに溺れてしまった。こんなにも快感に弱い自分が嫌になる。

「いいところを邪魔されたからってそう睨まないでほしいな、アルベルト。君のところの侍従が探していたから、代わりに呼びに来てあげたのに。さ、僕の可愛い従姉妹をこんなところに引っ張ってきて独り占めしてないで、さっさと行ってきなよ」

じろりと睨むアルベルトに怯むことなく、ロッシェは笑いながら軽口をたたく。このアルベルトに向かってそんな態度がとれるのは彼くらいなものだろう。

名前で気軽に呼び合っていることからわかるとおり、彼らは昔からの友人だ。ロッシェの父親である故レフォール伯爵もシルフィスの父親同様に先代ディーステル伯爵と友人だった関係で、彼らは幼い頃から親交があった。気心が知れているために、成人した今でも二人はこのように遠慮のない物言いをする。シルフィスは社交界にデビューするまでそのことを知らず、このアルベルトに軽口をたたく従兄弟にびっくりしたものだ。

アルベルトはロッシェの言葉にチッと舌打ちした。これも相手がロッシェでなかったら単に眉を顰めただけだっただろう。アルベルトは親しくしている人間以外、特に貴族に対してはことさら感情を隠す傾向がある。

「わかった。ロッシェ、しばらくシルフィスを頼む」

「了解」

にっこり笑って承諾したロッシェは、アルベルトが彼の横を通り過ぎようとした時、笑みを浮かべたまま小さな声で言った。

「そういえば、例のアレ、来ているようだよ」

アルベルトは足を止め、眉を上げる。

「……だろうな、この機会を狙わないわけがない」

そして意味深な言葉を残してホールに戻っていくアルベルトを見送っていたシルフィスは、近づいてきたロッシェにコツンと額を叩かれて我に返った。

「一年ぶりだね。心配したよ、シルフィス」

「ロッシェお兄様……」

シルフィスは申し訳なさに俯《うつむ》いた。シルフィスの突然の出奔《しゅっぽん》に一番心配と迷惑をかけた相手は間違いなくロッシェだ。伯爵位も家も彼女が負わなければならない責任もすべて放棄して彼に押し付けて逃げたのだから。本当なら彼には顔向けなどできない立場だ。けれどロッシェのシルフィスを見る目はいつもと変わらず優しかった。

「君の無事がわかるまでの半月、僕らは生きた心地がしなかったよ」

「半月？」

シルフィスはハッと顔を上げて、ロッシェの翠色の瞳を見上げた。

修道院に拾われて落ち着きを取り戻した後、シルフィスはロッシェ宛に手紙を書いた。居場所は言えないが無事でいること、そしてもうコリンソン家に戻るつもりはないという内容だ。けれどその手紙を書いたのは保護されてから二か月近く経ってからだった。

「それでは、手紙を出す前から私の居場所を……？」

「ああ。僕とアルベルトがまさか君を探さないとでも思った？　それは甘いよシルフィス。探し出すのに多少手間取ったが一か月も経たないうちにアグネス修道院に身を寄せているのはわかっていた。まったく、あの時は無理やり連れ戻そうとするアルベルトを抑えるのに苦労したよ」

アルベルトの名前が出てシルフィスはビクンと身体を震わせた。そんな彼女をロッシェは温かい目で見下ろす。

「シルフィス。アルベルトは怒っていたよ。君が出奔したことにも、そして修道女になろうとしたことにもね」

アルベルトが怒っていたと聞いて、シルフィスはぶるっと震えて俯いた。

「……私がお姉様の死の原因を作ってしまったから。それを償うべきだったのに、逃げ出したから……」

「それは違うよ、シルフィス」

ロッシェはシルフィスの頭の上に手を置いて、優しく撫でながら言った。

「一年前にも言ったけど、あの事故は君のせいじゃない。それにアルベルトの怒りはレオノーラのことじゃなくて君が自分の傍から勝手に離れたからさ。僕に感謝してほしいね。あの時止めなかったらとっくに君は彼に囚われの身になって祭壇に引きずり出されていただろう。だけど、君には時間が必要だと思ったから、アルベルトには一年、喪が明けるまで待つように言った。でなければ後見人として君との結婚を認めないと半ば脅しつけてね」

シルフィスはハッと顔を上げた。そうだ、ロッシェはシルフィスの後見人だ。彼女が二十歳になるまでは、後見人の許可がなければ勝手に結婚することはできない。アルベルトが今日この公の場で婚約を発表したということは彼の許可があったからだ。

ロッシェはすまなそうに微笑んだ。

「そう、そのことで僕は君に謝らなければならない。あの時アルベルトを止めるためとはいえ、君の意思を確認しないまま結婚の許可を出してしまった」

「……いえ、ロッシェお兄様、謝らないでください」

シルフィスは静かに首を振った。逃げた彼女の居場所を前から知っていたアルベルトが、ヴォルフを派遣して監視してまで一年待ったのはそういう理由があったからなのか。もちろんアルベルトのことだから、その気になったらロッシェの許可がなかったとしても何らかの手を使って結婚を強行しただろう。けれどそれをやらなかったのは友人であるロッシェを慮ったからに違いない。

「むしろ私はお兄様に感謝しなければなりません」

一年間だけだったとはいえ、シルフィスに心の傷を癒す時間をくれたのだ。もしあの直後にアルベルトに囚われて償いを強要されていたら、おそらくシルフィスの心は壊れていただろう。

……家族を自分の過ちで失った。けれど、こうしてまだ気にかけてくれる人がいる。無責任にも出て行って、迷惑をかけたのだから見捨てられてもおかしくなかったのに。……そんな優しい人たちに心配をかけて、本当に自分は愚かだった。けれどそんな愚かなシルフィスをロッシェや彼の妻はきっと笑って許すのだ。

零れてきそうな涙を払って、話題を変えようとシルフィスは尋ねた。

「ところでロッシェお兄様、お義姉様は？」

こういう席では必ず彼の傍らにいるはずのロッシェの愛妻の姿を今日は見ていない気がする。大恋愛の末に結婚した二人は、どんな時も離れ難いとばかりに常に一緒にいるはずなのに。

ロッシェはシルフィスの言葉に破顔した。

「そうか君はまだ知らないんだね。実は彼女は今妊娠六か月なんだよ。君に会えるというので張り切っていたんだけど、どうも今朝から具合が悪いようなので、大事を取って留守番をしてもらっている」

「まぁ、お義姉様に赤ちゃんが！　なんて素敵なの！　おめでとうございます、お兄様」

シルフィスはその良い知らせに久しぶりに心からの笑みを浮かべた。その子が男の子ならレフォール伯爵家の跡継ぎになる。

「彼女も君に会いたがってる。よかったらそのうち会いに来てくれ」

「はい、アルベルト様がお許しになればすぐにでも！　私もお義姉様にお会いしたいし、それにその子はコリンソン伯爵家を継ぐかもしれない子ですもの」

シルフィスはロッシェがコリンソン伯爵位を継いだものと信じて疑わなかった。けれど、ロッシェはシルフィスのその言葉に困ったように微笑んだ。

「そのことだけど、シルフィス。僕はコリンソン伯爵位を継いではいない。後見人として君がいない間管理はしていたけど、それだけだ」

「……え？」

思いもかけない言葉にシルフィスは戸惑った。ロッシェがコリンソン伯爵位を継いでいない？

「で、でも私は相続権を放棄する宣誓書を……」

「出してない。ねぇ、シルフィス。署名入りの宣誓書があっても、その書類を内務省に提出しなければ何にもならないんだ。そして僕は前にも言ったとおり、コリンソン伯爵位を継ぐ気はない。あれは君か、君の次の代が継ぐべきだ」

「そんな……」

シルフィスはガツンと頭を殴られたようなショックを受けた。確かに相続権を放棄する書類に署名しても、爵位を管轄する部署に提出しなければそれは単なる紙に過ぎず、相続権の譲渡も行われないままだ。つまり、依然としてシルフィスに伯爵位の相続権があるということになる。そしてそれの意味するところは……。

「……それでは、私がこのまま結婚したら、コリンソン伯爵位は……」

アルベルトのものになる。そしてコリンソン家とディーステル家を比べたらどちらに重きがあるのかは明らかだ。コリンソン家はディーステル家に飲み込まれ、名前だけのものになってしまうだろう。ロッシェなら話は別だ。ロッシェならコリンソンをコリンソンのまま残してくれるだろうという確信があった。だけどアルベルトは……。

――コリンソン家がなくなってしまう。そう思ったらシルフィスは自分でも不思議なほど動揺した。自分から捨てて逃げてしまったくせに。

「大丈夫。その辺は僕とアルベルトで協議済みだ。コリンソン家のことは気にしないで君は自分のことだけ考えていればいいんだ」

「ロッシェお兄様。でも……」

「これからはアルベルトが君を守ってくれるし支えてくれるだろう。気難しい男だし一筋縄ではいかないが、一度懐に入った人間に対しては寛大だ。君は安心して彼に寄りかかればいい」

アルベルトを心から信頼している様子のロッシェの言葉にシルフィスは俯いた。ロッシェはアルベルトがシルフィスに償いをしろと迫ったことは知らないのだ。もちろん、アルベルトも言うわけがない。まだ結婚もしていないのに、毎日のように従姉妹を抱いているなどと。そしてシルフィスもまた言えなかった。自分がアルベルトの性の奴隷になっていることなど。

「すまなかったな、ロッシェ」

アルベルトが戻ってきて、当たり前のようにシルフィスの腰に手を回した。その感触に下腹部に甘い刺激が走る。

「いや、僕も一年ぶりに可愛い従姉妹と話ができてよかったよ。さて、そろそろ戻った方がいいだろう。今夜の主役二人がそろって長い時間席を外しているわけにはいかないだろうから」

「ああ。……シルフィス、大丈夫か？」

アルベルトがシルフィスを見下ろして言った。その言葉に、元々ここへは風に当たるために来ていたことを思い出す。

「あ、はい。大丈夫です」

心配してくれているのだろうか、アルベルトの言葉には気遣うような響きがあった。シルフィスの心に小さな火が灯る。

シルフィスを蹂躙しているくせに、時々こんなふうに昔のような優しさを見せるアルベルト。その一挙一動に揺さぶられ続けるシルフィス。……すべてを諦めたというなら、この恋心だってなくなってしまえばいいのに。そうすればこれほど苦悩することはなく、貴族の義務としてアルベルトとの結婚生活を受け入れられるのに。

……けれどシルフィスは未だにアルベルトへの恋心を捨てられずにいた。

「もういい、一足先に部屋に戻っていろ」

夜会もたけなわを過ぎた頃、アルベルトがホールの端にシルフィスを導いて言った。彼女はアルベルトの傍らに立ち、夜会の間ずっと笑顔を作っていたが、さすがに疲労は隠せなかった。こんなに大勢の前に出るのも一年ぶりのことなのだ。すっかり人ごみに酔っていた。

「で、でも……」

「もう十分だ。それに、君には席を外しても違和感のない理由を用意してあるだろう」

その言葉にシルフィスは苦笑した。

アルベルトがシルフィスとの婚約を発表した時に知ったのだが、彼女がこの一年公の場に姿を現さなかったのは、喪中ということもあるが、肉親を失った心労で体調をくずして遠い地で療養していたからだということになっていたのだ。シルフィスが出奔し、修道院に入っていた事実は慎重に隠されていた。……おそらくロッシェとアルベルトの手によって。

葬儀の時のシルフィスの様子を知っている貴族たちはそれをあっさり信じた。まだ体調が万全でないと言えば、すんなり受け入れられるだろう。

「部屋まで送ろう」

シルフィスをホールの扉の外へ導いたアルベルトは言った。だが、シルフィスはその言葉に首を振った。

「アルベルト様はホールにお戻りください。私なら一人で戻れますから」

「だが……」

「平気です。もう一か月以上お世話になっている館で、エスコートは必要ありませんもの。それよりアルベルト様はこのパーティの主催者。夜会が終わるまでお客様に気を配らねばならない立場です。そのお役目をどうか果たしてくださいませ」

アルベルトをまっすぐ見上げてそう告げるシルフィスは修道女見習いではなく、義務と責任を知っている貴族令嬢……いや、次期伯爵夫人としてふさわしい静かな威厳を湛えていた。

彼女自身は知らなかったが、元々シルフィスはアルベルトの花嫁になるべく教育を受けていた。レオノーラがコリンソン家を継ぐにふさわしい教育を受けていたなら、シルフィスは辺境伯夫人にふさわしくあるように、政治のことや周辺地域の情勢はもちろん、社交の場においてどう振る舞うべきか、どうあるべきかを叩きこまれていたのだ。夜会の準備の一部を任されたシルフィスは、それは見事に采配を振るったと後に家令が評価していた。だが彼女にとってそれは当たり前で当然のことなのだ。本人は無意識で気づいていないが、彼女本来の資質がアルベルトの傍らで少しずつ開花していた。

「……わかった。未来の伯爵夫人の言うことだ、聞かないわけにはいくまい」

アルベルトはほのかな笑みを浮かべた。

「だが気をつけて部屋に戻りなさい。今この屋敷には多数の人間が入っている。不埒な真似をする者はいないと思うが、用心するに越したことはない」

「……わ、わかりました」

シルフィスがぎこちなく頷くと、アルベルトは彼女の頬にそっと触れて撫でた後、ホールに戻っていった。シルフィスはそれを見届けホールの扉が閉まると、頬をほんのり赤く染めながら廊下を歩き始めた。嬉しいようなふわふわした気持ちだった。

――アルベルト様が微笑んだ……！

別れ際、アルベルトの顔に浮かんでいたのは、確かにあの微笑みだった。初めて会った時に見せてくれた、春の雪解けのように、厳しさや冷たさが一掃された、心奪われる笑顔。特別で、貴重な、大切なもの。あれを向けられるたびにシルフィスは厳しさや冷酷さの裏に隠された本当の彼に出会えたような気がしたものだ。

もう二度と見られない、向けてはもらえないものだと思っていたけれど、確かに今彼は笑っていた。

すべてを諦めたはずのシルフィスの心に温かい火が灯った。ほんの少し許された気がして。あの笑顔を見せてくれるなら、この先もきっとうまくやっていける。望んでいたものとは違ったけれど、それに近づけることができるかも。……そう思い始めていた。だが

――。

「よく平気な顔をしてディーステル伯爵の婚約者に収まれるものだわ」

「本当よね。レオノーラが亡くなったのはそもそも自分が原因のくせに」

夢見心地で廊下を進むシルフィスの耳にそんな言葉が飛び込んできて、心の中に灯ったぬくもりがすうーっと急速に冷えていくのを感じた。思わず足を止めたそこは招待客の控えの間として開放してあった部屋の前。きちんと閉じられていない扉からは部屋の灯りと共に中にいる人間の声までもが廊下に漏れていた。

「伯爵だって先代の約束があったから仕方なく娶ることにしただけなのに」

「そうよ、それがなかったらそもそもあんな子相手になんてするわけないわ」

声には聞き覚えがあった。かつてアルベルトを狙って彼に纏わりついていた令嬢たちだ。彼に冷たくあしらわれているにもかかわらず、彼女たちは未だに諦めてはおらず、このパーティも絶好の機会だと考えてやってきていた。だからこそ一度舞台から消えたはずのシルフィスがアルベルトの婚約者の座に収まっていることが面白くないのだろう。

シルフィスはそれ以上聞いていられずにその場から離れた。さっきまでのふわふわした気持ちはすっかり霧散して、息苦しさが再び戻ってきていた。外の空気を吸って心を落ち着かせてから戻ろうと、シルフィスは階段を通り過ぎて廊下をそのまままっすぐ進み、突き当たりの小さなバルコニーに足を向けた。

……何を今さら傷ついているのだろう。

バルコニーから見える、今は真っ暗な庭園やそこに設置されているドーム型の四阿《あずまや》をぼんやり見下ろしながらシルフィスは自嘲する。彼女たちの言っていることはすべて本当のこと。レオノーラが命を落としたのも、先代の約束があったからアルベルトがシルフィスを娶るのも。その約束がなければシルフィスに見向きもしなかっただろうということも。誰よりも何よりもシルフィス自身がわかっていた。それなのに今さら傷つくなんて……。

「酷いことを言う連中だ。だけど君は何も悪くない。だから気にしないで」

不意に後ろから声をかけられてシルフィスはハッと振り返った。するとそこにはいつの間にバルコニーに来ていたのか、黒茶色の上着を身に着けた青年が立っていた。茶色と赤と黒を混ぜたような赤銅色の髪に、深い茶色——チョコレートブラウンの瞳。歳はアルベルトやロッシェよりは、もう少し下に見える。けれど、彼の人好きのする容姿は威圧感を与えるアルベルトとは対照的だった。少しだけ少年らしさを残した端整な、それでいて優しい面差しと彼が持つ柔らかな雰囲気は、対面する人に安心感を与えた。現にシルフィスは突然声をかけられてびっくりしたが、警戒心はあまり湧かなかった。

……どこかで見たことがある気がしたせいかもしれない。そのチョコレートブラウンの瞳と顔に見覚えがあった。けれどこの周辺地域の貴族でないのは明らかだ。アルベルトの伴侶としての教育の一環で、シルフィスはこのディーステル王国とも呼べる地域の主だった貴族たちのほとんどを記憶している。その彼女が名前を思い出せないということは、別の地域に住む貴族なのだろう。

名前は知らない、けれど見覚えがあることに戸惑っていると、青年が嬉しそうにふわっと笑った。

「ようやく正式に会えたね」

「え？」

「レオノーラがいつも自慢していた君に、いつか会いたいと思っていたんだ……庭にいる君を柵越しに見た時もそう思ったけど、君は本当に彼女によく似ている」

そう言って目を細めて懐かしそうに、けれどどこか悲しげに微笑む彼をまじまじと見上げたシルフィスはそこでようやく彼をどこで見たのか思い出した。シルフィスがここから逃げ出す直前、柵越しに声をかけてきた貴族の青年がいた。彼はあの時の人だ。声に聞き覚えがあるし、同じようにチョコレートブラウンの目をしていた。けれど……。

シルフィスは彼の頭に目をちらっと向けて言った。

「あ、あの一週間前に柵越しに声をかけてくださった方ですよね？　でも、髪の、色が……」

そう、すぐに気づかなかったのは、あの後の出来事で青年と会った時の記憶が埋もれてしまっただけではなく、あの時と髪の色が違うからだ。確か以前は黒い髪の色だった。ふわりとした柔らかそうな髪型は変わらないものの、今の彼の髪の色は赤銅色だ。髪の色が違えば印象もかなり変わってしまうので、すぐに気づけなかったのだ。

「ああ。あの時は黒に染めていた」

青年は自分の髪に手を触れて言った。

「君がディーステル伯爵邸に滞在していると知って、確認するために。顔を覚えられるとちょっと困るからね」

「……わざわざ髪を染めてまで……？」

シルフィスは首を傾げた。貴族で、このパーティの正式な招待客ならわざわざ髪を染めて素性を隠さなくても、直接尋ねればいいのに。けれど、青年は首を振った。

「聞いたとしても教えてくれないよ。君は知らないだろうけど、君のことは巧妙に秘されていたんだ。現に今日の招待客はみな最初に君を見て驚いていただろう？　僕は君を探していたから何とかここにいることを突き止められたけど……」

そこまで言って彼は顔を顰めた。

「それにある懸念があって伯爵に知られないように君がどういう状態にあるのか直接この目で見たかったんだ。そしたら案の定、君には厳重に監視がついていた。守るためというより逃げ出さないように見張っているようだった。……君はここに、伯爵に囚われているんだろう？」

「え……？」

シルフィスは目を見開いて、一歩下がった。どうしてそこまでわかるのだろう。驚きよりも不安が大きくなった。自分は彼の名前すら知らないのに、どうしてこんなふうに何もかも知っているのか……。

「あ、あの、あなたはどなたですか？　姉のお知り合いですか？」

今も、そして庭でも青年はレオノーラの名前を出した。そしてシルフィスを姉と似ていると言った。コリンソン姉妹は目の色こそ薄茶と黒という違いがあるものの、髪の色は同じで顔立ちもよく似ている。その言葉が出るということは確実にレオノーラを知っているということだ。青年はにっこり笑った。

「ああ、言ってなかったね。僕はライナス。ライナス・オルクレール。子爵位を持っている。そしてレオノーラのこともよく知っている。ある意味君よりも。なぜなら――僕らは恋人同士だったから」

「こ、恋人……!?」

今度こそシルフィスは仰天した。

レオノーラと青年――ライナスが出会ったのは、レオノーラが亡くなるちょうど三か月前のこと。場所は王都で、とある貴族が開いた夜会でのことだったという。

シルフィスは思い出していた。あの頃、両親とレオノーラは冬の社交シーズンの間、王都の別宅に滞在していたことを。シルフィスも行くように言われていたが、彼女だけは領地に残っていた。なぜならアルベルトも領地にとどまっていることを知っていたからだ。王都に行ってしまえばディーステル家のパーティまで何か月も彼に会えないが、そこにいれば周辺の貴族たちが催すパーティでアルベルトと出会える可能性があった。実際にはめったにパーティには行かない彼と会えるのは稀なことだったが、彼は忙しい中でも一人で領地にいるシルフィスを気遣ってくれて、手紙をくれたり手に入った珍しい隣国のお菓子や小物などを折に触れて届けてくれていた。シルフィスは近くにいるだけで十分満足だったのだ。

その同じ頃、姉のレオノーラはライナスと出会って恋を育んでいたらしい。

「彼女は同じ年の他の令嬢とは全然違っていた。ドレスや宝飾品、他人の噂話をするしか能がない女性の中で一人凛としていて、誰より美しく輝いて見えたよ」

それはそうだ。レオノーラはあの若さですでにコリンソン伯爵家を背負うための教育を受けていた。実際の年齢よりも大人びていて、誰より聡明だった。

ライナスは懐かしそうに、それでいて愛おしそうに微笑んだ。

「けれどね、僕はなぜかその彼女の中に潜む脆《もろ》い心に気づいたんだ。両親の求める娘、伯爵家を支えることのできる聡明な令嬢であろうとする、彼女の中の葛藤《かっとう》と不安に」

「葛藤と、不安？」

「だってそうだろう？　いくら聡明で大人びていても実際の年月しか生きていないことには変わりない。それなのに同じ年の娘たちが無邪気に過ごしていた時間も彼女はただの娘ではいられなかった。男でさえ重いと感じるものを背負わされていたんだ。精一杯背伸びして、不安で脆く崩れそうになる心をずっと押し隠して、それでもコリンソン家の跡取りにふさわしい娘であろうとしていたんだ」

「レオノーラお姉様が……？」

シルフィスは頭を殴られたような衝撃を受けた。だが、言われてみればそうだ。いくら聡明であっても、レオノーラはまだ若い女性に過ぎなかった。それなのに重責を負わされて、留守がちな両親に代わり、妹の面倒までみていたのだ。自分と、たった一歳しか違わない妹のシルフィスを。

自分の至らなさにシルフィスは愕然とした。何も知らず、ただ自分はレオノーラに甘えていた。誰よりも一番傍にいたのに！　出会ったばかりの男性が気づいたことを、妹の自分は何も気づかずにいただなんて！

「痛々しいまでにコリンソン家の長女であろうとする彼女に惹かれた。彼女も僕のことを特別に見てくれたよ。とりえのない貧乏子爵だけど、彼女のことを思う気持ちは誰にも負けない。彼女をこれからも支えたいと思った。だから……付き合い始めてまだ間がなかったけど、彼女に求婚したんだ」

「求婚……！　そ、それでお姉様は……？」

ライナスは嬉しそうに笑った。

「承諾してくれた。僕の手を握って、傍にいて自分を支えてほしいと微笑んで言ってくれた……でも」

不意に笑顔が消える。

「ご両親に反対されてしまったんだ。僕はコリンソン家にふさわしくないのだと。今から思えばその時すでにディーステル伯爵のことがあったから僕を排除したかったのだろうね。僕らは無理やり引き離され、彼女は領地に連れ戻されてしまった……」

「そ、そんな……」

シルフィスは困惑した。それは本当のことだろうか。目の前の人が嘘をついているようには見えないが、レオノーラに恋人がいただなんて一言も聞いたことがない……。だが、ふと思い起こしてみると、あの年、いつになくレオノーラと両親が領地に戻ってくるのが早かった気がする。

このディーステル家のパーティはいつも社交シーズンの終わりの時期に開催されている。だから周辺の貴族の多くは王都で社交シーズンを楽しんだ後、領地に戻って参加するのが恒例になっていた。コリンソン家も例外ではなく、両親はディーステル家のパーティのために王都の別宅を離れ娘二人が待つ領地に戻ってくるのだ。そしてその年も、社交シーズンが終わりに近づいて、両親とレオノーラは領地に共に戻ってきた。……けれどいつもより少し早く。

思い起こせば、その頃から両親――特に父とレオノーラの間で妙な緊張感があったように思う。それを妙に感じて『王都で何かあったの？』と尋ねたこともあった。けれどレオノーラに聞いても両親に聞いても『何もない』と言うばかり。そのうちにディーステル家のパーティの準備に夢中になり、そのことはすぐに頭の隅に追いやられてしまった。そしてそのすぐ後に父親の書斎にレオノーラと共に呼ばれてあの衝撃の言葉を聞かされ、完全に埋没してしまったのだ。

もしかしてあの時両親とレオノーラの間に流れていた妙な緊張感は、恋人との仲を反対されたせいだった……？　そして続くあの騒動の中での二人の言い合いは、このことに端を発していたのかもしれない。

恋人との仲を裂かれ、更に別の男に嫁げと言われたレオノーラ。聡明で親の期待を一身に背負っていた彼女は、けれど決して親の言いなりになっているだけの娘ではなかった。頑固で、一途で、譲れないことは親に対してもはっきり言える人でもあった。あの時、レオノーラは戦っていたのだ。シルフィスのためだけではなく、自分の恋のために。

「でも……どうしてお姉様は私に言ってくれなかったの……？」

シルフィスとレオノーラは仲の良い姉妹だった。だからシルフィスはレオノーラになんでも話していた。アルベルトに対する恋心も。それなのに、レオノーラは自分のことは話してくれなかったのだ。

「心配かけたくなかったから。お父上に反対されている現状を伝えれば、君は必ず自分の味方をしてくれるとわかっていたけど、巻き込みたくないのだと、レオノーラはそう手紙に書いていた」

「手紙に？」

「ええ、ご両親に隠れてこっそりやりとりをしていた。僕らはこの恋を諦められなかったから……」

そう言ってライナスはハンカチーフを取り出した。その白いレースの繊細なハンカチーフには女性の手によるものだとわかる刺繍が施されてあった。シルフィスにはすぐにわかった。レオノーラが刺繍した自身のイニシャルだと。恋人同士が愛の証として自分のイニシャルや紋章を刺繍したハンカチーフを贈るのはよくあること。レオノーラがこれをライナスに贈ったということは……。

「本当に、レオノーラお姉様の恋人だったのですね……」

その事実が胸に落ちてきて心苦しくなった。ならばシルフィスにはもう一人償わねばならない人ができたことになる。彼はレオノーラを、恋人をシルフィスのせいで失ったのだから。

「ごめんなさい……」

シルフィスは目に涙をためてライナスを見上げた。

「レオノーラお姉様が事故にあったのは私のせいです。私を心配して雨の中を屋敷に戻ろうとしたから……」

ライナスはびっくりしたように叫んだ。

「それは違います！　あなたのせいだなんて僕は思ってない！　あなたは全然関係ない！　口実にされただけだ！　僕にはわかっている……なぜならあの夜、僕もこの屋敷のパーティに参加していたのだから」

「……え？」

シルフィスの目が驚きに見開かれた。

――レオノーラがアルベルトと無理やり婚約させせられるかもしれないと手紙で知ったライナスは、伝手《つて》を頼ってディーステル家のパーティにどうにか潜り込んだ。そこで引き離されて以来ようやくレオノーラに再会できたのだという。

「僕らが人目を忍んでこっそりと会えたのも、その時、コリンソン伯爵夫妻が夜会の最中にもかかわらず、当主のディーステル伯爵に書斎に呼び出されたからだ。でなければ、彼らは娘から目を離すことはなかったと思う」

　なぜならレオノーラはアルベルトとの結婚を強制するのなら、駆け落ちも辞さないと父親に宣言していたからだ。そんな騒ぎを起こしてコリンソン家の名に傷を付けたくないのなら、シルフィスをディーステル家の婚約者に戻すようにと半ば脅しつけるようなことを言っていたらしい。そんなレオノーラがディーステル伯爵の主催するパーティに出席することを承知した理由はただ一つ。

「レオノーラはディーステル伯爵本人と話し合って、この婚約を無効にするつもりだと言っていた。無効にできる自信もあったようだった。けれど……」

　レオノーラとアルベルトの話し合いは実現しなかった。なぜなら――。

「ディーステル伯爵と話を終えたコリンソン伯爵夫妻が、血相を変えて、嫌がるレオノーラを馬車に乗せてディーステル邸を出て行ってしまったからだ。君の具合が悪いというのは口実に過ぎないよ。周囲は慌てる夫妻を見てそんなに君の具合が悪いのかと思ったようだけど……」

「そんな……」

　シルフィスは震える手で胸をキュッと押さえた。レオノーラたちが予定より早くディーステル邸を出たのはシルフィスのせいではなかった？　アルベルトと話をしたから……？

彼と両親との間に一体どんな話があったというのだろう。なぜそれをアルベルトは今までシルフィスに言ってくれなかったのだろうか。……胸の奥がざわつき始めた。

「伯爵たちが何の話をして、何に動揺していたのかはわからない。だけど君が原因じゃないのは確かだよ。僕は……レオノーラの事故は本当は事故じゃなかったのだと思っている」

心臓がドクンと鳴った。頭のどこかで、これ以上聞いてはいけないという声がした。聞いては駄目、自分の心にとって耐えられないことだとそれは告げていた。けれど、足に根っこが生えたようにその場から動くことはできなかった。

ライナスはふと建物の方――ホールの方を振り返り、近くに人がいないのを確かめると声を潜めて言った。

「ディーステル伯爵が、レオノーラに僕という恋人がいることを知っていて彼女を指名したのかはわからない。でも少なくともコリンソン伯爵がそれを正直に告げないまま婚約を整えようとしたのは確かだ。だからレオノーラはそのことも正直に告げて婚約を無効にするつもりで手紙を書いたと言っていた……恋人がいるのだと告げた手紙を」

シルフィスはひゅっと息を飲んだ。アルベルトはレオノーラに恋人がいることを知っていた……？

「だから僕は、あの時レオノーラの手紙を受け取ったディーステル伯爵がそれを知って、その真相をコリンソン伯爵に問いただしたのではないかと思っているんだ。当然隠したいことを知られたコリンソン伯爵たちは平常ではいられないだろう。酷く動揺してもおかしくない。あの事故はそうした中で起きた。でも……それは本当に事故だった？　あまりにも都合がよすぎないかい？」

「……どういう、こと……ですか？」

「騙された形のディーステル伯爵の気がそれで済んだと思うかい？　花嫁にと選んだ娘には恋人がいた。もしかしたらすでに純潔を失っているかもしれない。そんな娘を何も告げずに平気な顔で押し付けようとした彼らを許すほど……ディーステル辺境伯は寛大なのかい？　恋人を作った娘本人を許せるほど？　一年前、ホールで挨拶をするディーステル伯爵の姿を見たよ。彼はそんなに優しい人間には見えなかった。むしろ冷酷そうだし、実際そういう評判だ。違うかい？」

「……ち、違います、アルベルト様は……！」

シルフィスは反射的にそう言ってから、口をつぐんだ。……その先の言葉が出てこなかった。何か言わなければと思うのに。

――なぜならライナスが暗に告げていることは……。

耳の奥で嫌な音を立てて鼓動が鳴り響いた。

「僕だってまさかと思った。けれど……ディーステル伯爵と話し合いをして飛び出した後にあの事故……偶然にしては出来過ぎている」

ライナスは言葉を切って、言っていいものか逡巡しているかのように下を向いた。それを見て更に胸がざわつく。

――聞いてはいけない。耳を塞がなければ。……けれど凍りついたように、手が動かなかった。

意を決したようにライナスが顔を上げた。

「それに僕は一年前のあの日、見てしまったんだ。あの日、ここの厩舎《きゅうしゃ》に停めてあったコリンソン伯爵の馬車の近くで、ディーステル伯爵の使用人が不審な動きをしていたのを」

――聞いては、いけなかったのに……。

両親とレオノーラを殺したのは……アルベルト……？

「嘘です！」

シルフィスは気づいたら叫んでいた。

「そんなの嘘です！　あの方はそんなことをする人ではありません！」

「僕だってただの偶然の事故だったと思いたい。けれど、もし本当に事故ではなくて、馬車に何らかの細工をされていたからこそ、起きた事故だったとしたら？」

シルフィスは涙目で首を横に振った。だが、その時ふと思い出したことがあって、内心ホッと安堵しながら告げる。

「お姉様たちは土砂崩れに巻き込まれたと聞きました。馬車に細工をしようが土砂崩れをどうやって起こせるでしょう。やはりあれはただの事故なのです」

そうだ。ありえない。アルベルトがあの事故を起こしただなんて。シルフィスから両親とレオノーラを奪っただなんて。

……けれどそんな彼女を哀れみの表情を浮かべてライナスは見下ろしていた。

「土砂崩れ？　確かに土砂崩れには巻き込まれた。でもそれは馬車が転落した直後に起こったこと。いいですか？　最初にレオノーラたちの馬車が山道からバランスを崩して下に落下した。そこに偶然土砂崩れが起きて押し流していったのだと聞いています」

「……最初に、転落……？」

「そう。車輪が何かに乗り上げたのか……とにかく馬車に何か不具合が起きたんだ」

車輪。不具合。その単語がぐるぐると頭の中を駆け巡った。

「僕はそれを聞いた時、あの厩舎で見たことが頭を過って、それからディーステル伯爵を疑いだした。でも証拠もないし、しょせん貧乏子爵で、辺境伯に対抗できる力もなく、真相を確かめることを諦めてしまったんだ。……だけど」

ライナスはシルフィスの震えている手を取って言った。

「一人残された君のことはずっと気になっていた。レオノーラが誰よりも何よりも一番気にかけていた大事な妹だ。けれど、彼女は僕のことは君に教えていないだろうし、家族を亡くしたばかりの君を更に混乱させてはと思って沈黙を守っていたんだ。僕自身、レオノーラを失って気落ちしていたこともあったし。けれど、つい最近になって君がディーステル伯爵のもとにいるという話が届いて、僕はこのままじゃいけないと決心した。レオノーラは救えなかったけど、君だけは何としても助けようって」

「……助ける？」

レオノーラの事故にアルベルトが関わっているかもしれない。そのことに衝撃を受けていたシルフィスは彼が何を言っているのかとっさに理解できなかった。戸惑うように見上げるシルフィスの手をぎゅっと握りながら、ライナスは探るような眼差しで彼女を見下ろした。

「君はディーステル伯爵に無理やりここに連れてこられて軟禁されている。そうだろう？」

シルフィスの両肩がビクンと跳ねた。

「もしやと思ってこっそり見に来たら、庭に出ていた君は何人もの兵士に見張られていた。それが婚約者に対する普通の扱いかい？」

「そ、それは……」

「思った通りだ。ディーステル伯爵はレオノーラを手に入れそこなったから、今度は無理やり君をコリンソン家ごと手に入れるつもりなんだ」

「コリンソン家ごと……？」

「そうだ。君はまだコリンソン家の相続人だろう？　一時期レフォール伯爵が継いだっていう話もあったけど、確認してみたらそんな事実はなかった。まだコリンソン家は君のもの。君を手に入れればコリンソン家ごと手に入るということになる」

ロッシェと話をしていてふと湧いた不安が頭の中を駆け巡る。耳の奥で鼓動が痛いくらいにドクドクと脈打っていた。

「シルフィス……君を助けたい。そのために僕はここに来た」

シルフィスはハッと顔を上げた。真剣な、思いつめたようなチョコレートブラウンの瞳がシルフィスを見下ろしていた。

「今なら、君をここから救い出してあげられる。大勢の人間がこの屋敷にいる今なら、紛れて君をここから出すことができる」

――逃げ出す。ここから。アルベルトのもとから。

シルフィスは目に涙をためて首を横に振った。頭の中はぐちゃぐちゃで混乱していたけれど、彼の手を取るわけにはいかないことはわかっている。

「シルフィス！」

「わ、私は自分の意思でここにいるのです」

修道院のみんなの顔が浮かんだ。……そう、どうあっても自分はアルベルトと結婚しなければならない。みんなの居場所を教えてもらうにはそうするしかない。けれど、その事実はアルベルトの非情さを表しているようで背筋をのぼってくる震えを止めることができないでいた。

震えながら首を振るシルフィスに、何かを感じたのかライナスはふっとため息をついた。

「性急過ぎたようだね。すまない。こんな話を突然聞かされて混乱しないわけがない。……わかった。一晩、よく考えてほしい。明日、ディーステル伯爵がみんなを連れて狩りに行った時が最後のチャンスだから……」

そう言うとシルフィスの手を放して、バルコニーから見える薄暗い庭の一角を指さした。

「明日、伯爵が招待客を連れて屋敷を出た後、あの四阿で待ってるから、その時までによく考えて返事をしてほしい。……でもこれだけは言わせてくれ。レオノーラの二の舞にならないで。突然命を絶たれた彼女の無念を忘れないでくれ」

そう言い残してライナスは静かにバルコニーから離れていった。茫然とするシルフィスをその場に残して。

――アルベルト様、本当にあなたがレオノーラを？　両親を？

「そんなの、嘘よ……」

つぶやくシルフィスの小さな声が、虚空に溶けていった。

7　疑惑に揺れる

「まだ寝ていなかったのか」

天蓋のカーテンを開けて、シルフィスが起きていることを知ったアルベルトが言った。ベッドに横たわったシルフィスは彼の姿を見てビクンと震える。

「……眠れなくて……」

——あの後、呆然としたまま部屋に戻ってきたシルフィスはかなり顔色が悪かったらしい。それを見たファナは驚きつつテキパキと着替えさせてあっという間に彼女をベッドの中に押し込んでしまった。

『久しぶりの盛装や夜会で疲れたのでしょう。アルベルト様も明日の準備があって遅くなるそうですし、今夜はゆっくりお休みくださいませ』

身体は確かに久しぶりの社交に疲れていた。けれど、あんなことを聞かされたシルフィスが眠れるわけがなく、ベッドの中で寝返りをうつばかりだった。

――アルベルトがシルフィスの両親とレオノーラを事故に見せかけて殺したのかもしれない。

――そして再びコリンソン家を手に入れようとしてシルフィスと結婚を……？

そんな疑惑が頭の中で渦巻く。けれどそのたびに心が否定の声を上げる。

――彼はそんなことはしない。自ら選んだレオノーラをそんな理由で害するわけがない。

――彼はコリンソン家など必要としない。すでに揺らぐことのない権力を手に入れているのだから。

まさかという疑惑とそんなという思いがぐるぐる頭の中を巡る。アルベルトを信じたい。けれどライナスの話によって芽生えた疑惑はなくならない。

……どうしたらいいのだろう。どっちを信じたらいいのだろう。

シルフィスにとってどちらを信じるかは、ここに留まるか逃げるかの選択でもあった。アルベルトを信じればここに留まり、彼と結婚する。ライナスを信じるならば、ここから、アルベルトから離れなければならないだろう。でも……。

「シルフィス」

アルベルトがすっと手を伸ばして頬に触れた。触れられる直前、びくんとシルフィスは身を竦ませたが、避けようとは思わなかった。男の大きなゴツゴツした手が触れる。その温かさに涙が滲んだ。

　――この手が両親を、レオノーラを奪ったなんて信じられない。考えたくない。

「元気がないな。……誰かに、何か言われたか？」

　その言葉にぎくりとした。ライナスと話をしていたのを知られたのかと、思わず見上げてしまったシルフィスだが、ランプが照らす仄暗い灯りの中では、彼はいつもと変わらないように見えた。シルフィスはそっと目を逸らす。

「いえ……。疲れただけです」

「そうか」

　そう言うとアルベルトはシルフィスの頬から手を離し、上掛けを剝がして彼女の横に滑り込んできた。男の重みでギシッとベッドが鳴る。ここで寝るつもりなのだとシルフィスは悟った。

　……ああ、またあの狂宴が始まるのだ。

　シルフィスの背中に甘い震えが走った。けれどその身体の反応とは裏腹に、心は拒絶の悲鳴を上げる。

「……や、まって……」

　伸ばされた手に思わず身を竦める。けれど、その手はシルフィスを胸に抱き寄せると優しく包み込んだ。

「もう何も考えるな」

「——え？」

「もう遅い。明日に差し支える。今は何も考えずに目を閉じろ」

シルフィスの頭を自分の胸に押し付けてアルベルトは言った。規則正しい鼓動が耳を打つ。守られるように包まれて、薄手のナイトドレス越しに温かな体温と筋肉質の身体が感じられて、そのぬくもりに、感触に、涙が零れそうになった。

……信じたい。このぬくもりを無くしたくない……！

自分でもおかしいと思う。アルベルトから離れようと思ったのはつい一週間前のことだ。実際に逃げ出しもした。それなのに、こうして逃げ出す手段を示されても、その手を取るのをためらうのは……結局シルフィス自身がアルベルトの傍にいたいからだ。彼を信じたいからだ。

シルフィスは彼に無理やりここに連れて来られて純潔を奪われた。結婚と妊娠を強要され、礼拝堂でもあんなやり方で汚された。それはレオノーラの妹だから。コリンソン家の娘だから。王との縁談を断る手段だから。償いだから。だから彼はシルフィスを自分のもとに留まらせようとする。アルベルトのシルフィスに向ける気持ちはこんなにもはっきりしている……なのに。

シルフィスはアルベルトに対する思慕を捨てられない。時々見せる昔のような気遣いや

優しさに心が震えるのを止められない。疑惑を知っても、なお。

——なんて愚かな私。

コリンソン家が欲しいのなら、シルフィスごと受け入れてくれるのなら喜んで差し出してもいい。……そう思ってしまう自分はきっともうおかしいのだ。

……いや、もう一年前からすでにそうだ。罪悪感や義務すらもアルベルトを前にしてすべて投げ出したあの時から。レオノーラの死をほんの少しでも喜んでしまった——あの時から。

『レオノーラの二の舞にならないで。突然命を絶たれた彼女の無念を忘れないで』

ライナスの言葉が蘇る。まるで責めるように響く声を断ち切るように、シルフィスはアルベルトの胸に自分から寄り添って目を閉じた。

——神様。罪深き私をお許しください。

……いや、許されなくても、いい。アルベルトと共に堕ちるのならば。

眦から涙が一筋流れて、アルベルトのシャツに染み込んで——消えていった。

翌朝、シルフィスが目を覚ますとすでにアルベルトの姿はなかった。

彼は今日も多忙だ。二日がかりで行われるディーステル家のパーティの最終日である今日は、狩りが行われる予定だ。招待客や料理人、使用人たちを連れて近隣の森まで出かけ、狩りを楽しみつつ料理を味わうのだ。貴族にとって狩りは最大の娯楽の一つで、女性客も多く参加する。残るのは夕べの夜会で飲み過ぎて具合のよくない者か、狩りが好きではなく静かに過ごしたい者だけ。

シルフィスは残留組だ。まだ逃亡を疑っているのか、アルベルトはこの屋敷から彼女を出すつもりはなく、またシルフィスも動物を追いかけ回す狩りはそう好きではなかった。

気鬱なままベッドから起き上がり、ファナの手を借りてドレスを着つけた。いつもなら楽なシュミーズドレスだが、大勢の招待客がいる今はそういうわけにはいかない。ファナが選んだドレスは薄紫の襟ぐりも控えめな品の良いパフスリーブで、裾の襞から覗くレースと胸に留められた紫色の薔薇のコサージュが華やかさを演出している。他の女性招待客のドレスに比べたら大人しいデザインだが、それがかえってシルフィスの若々しいラインと可憐さを引き立てていた。

だがそのドレスを着るシルフィスの顔は冴えない。そのことを朝食後に部屋を訪れてきたロッシェにも指摘された。

「何か心配ごとがあるのかい？　アルベルトのこと？」

ファナの淹れたお茶のカップを手に、ロッシェは何気なく言った。

「え？」

シルフィスはギクリと顔を上げた。そんな彼女にロッシェは苦笑する。

「君とは生まれた時からの付き合いだよ。何か気にかかることがある時はすぐにわかる。そしてそれはアルベルトのことだろう？　君は闊達な性格だけど、アルベルトのことに関してだけは妙に弱気だったからね」

くすくす笑われてシルフィスは赤面した。確かにアルベルトの一挙一動に敏感で大騒ぎをしていたあの頃。アルベルトの隣では彼に釣りあうように一生懸命背伸びをしていた。その様子を見たロッシェはシルフィスの気持ちはとうにお見通しだったに違いない。

「君は伯父上たちの死や修道院の暮らしを通じて大人になったけど、相変わらずあの頃と同じようにアルベルトには弱いんだね。そしてだからこそ、彼の気持ちも見えてないようだ」

「……え？」

顔を上げると、柔和な笑みを浮かべたロッシェの翠色の瞳が、じっとシルフィスを見つめていた。

「あんなに誰の目にも見えているのにね。……まぁ、彼も彼で君の気持ちが見えてないけど。だからこそ躍起になる。教えてあげてもいいけど、こういうのは自分たちで気づくものだから。おせっかいを焼きたくても我慢してるのさ、僕は」

笑いながらまるで独り言のようにロッシェは言う。何を言われているのかよくわからず、シルフィスは戸惑うような視線をロッシェに向けた。そんな彼女に笑みをもっと深くして彼は意味深に言う。

「すぐわかるよ。もうすぐ。……それで、僕の大事な従姉妹はアルベルトの何を気にしているんだい？」

いきなり話が方向転換して目を丸くしたシルフィスだったが、促すような笑顔を見せるロッシェに、意を決して尋ねることにした。

「あの、ロッシェお兄様は、レオノーラお姉様に恋人がいたのを……ご存じでしたか？」

アルベルトとロッシェは友人同士だ。そのロッシェに、両親とレオノーラの死にアルベルトが関わっているかもしれないことなど口にはできなかった。だけどロッシェはシルフィスが知らなかったことを両親やレオノーラ、そしてアルベルトから教えてもらっていたかもしれないのだ。そしてシルフィスはロッシェの言うことは無条件で信じられた。彼はシルフィスに残された大事な親戚だ。

「ああ、知っていたよ」

あっさり言われたことにシルフィスは仰天した。と同時に、ライナスの言っていることは本当だったのだと目の前が真っ暗になった。

「でも、僕がそれを知ったのは、あの事故の後だよ。腑に落ちないことがあって調べたからわかった」

「腑に落ちない、こと？」

絶望に沈んだ目でロッシェを見る。彼は何もかもわかっているよとでもいうような目をシルフィスに向けていた。

「そう。……ところで君がそれを知っているということは、その恋人とやらが現れたということだね?」

ビクンとシルフィスの肩が震えた。

「で、君はそいつに何か言われたのだろう? それが気にかかっている。……違うかい?」

「……ロッシェお兄様……」

シルフィスは泣きそうな目をロッシェに向けた。

「何を言われたのか想像がつくけど、これだけは言っておくよ。君が何も知らされていないのは、君を騙すためでも、懐柔しようとするためでもない。君を守るためだよ。特にアルベルトはその傾向が強い。言わなければ伝わらないことだってあるのにねぇ」

「私を……守る、ため?」

「シルフィス様」

静かな、それでいて強い口調の声が聞こえて、シルフィスはハッとした。ロッシェと共に振り返ったシルフィスはそこにファナの姿を見て顔を強張らせた。そうだ、ロッシェにお茶を淹れていたファナがまだ部屋の中にいたのだ。あまりに静かだったため、シルフィスはそのことをすっかり失念していた。

ファナは真剣な眼差しでシルフィスたちに頭を下げて言った。

「お話を中断させてしまい申し訳ありません。でも、確認させてください。シルフィス様が夕べから何か様子がおかしかったのは、そのお姉様の恋人とやらに何か言われて、アルベルト様を疑っているからなのですね？」

「それは……」

ファナはアルベルトに心酔している。その彼女がアルベルトの何かをシルフィスが疑っているのを知って快く思うわけがない。シルフィスは言いよどんだ。けれど、それでファナは大方のことは察したらしい。何かを決意したように頷くと言った。

「シルフィス様。ここには私とロッシェ様しかおりません。そして今ここで聞いたり見たりしたことは決してアルベルト様には言いません。誓います。だからシルフィス様の本当のお気持ちをお聞かせください。シルフィス様ご自身はどうされたいのですか？」

「……私自身が……？」

「疑惑だとか義務だとか考えないで、シルフィス様が本当に望んでいることは？　アルベルト様から離れることですか？」

「……違います」

シルフィスは首を横に振った。シルフィスの本当の望みはもうはっきりしていた。昨夜、アルベルトの腕の中で悟ったのだ——皮肉にもライナスに聞かされた疑惑が、レオノーラのことや罪悪感や義務でわだかまっていた気持ちを吹き飛ばしてしまった。後に残ったのはむき出しにされた彼女自身の心――。

「私が望むことは……私の望みは……」

結局いつだってここに戻っていくのだ。何もかも投げ捨てて、逃げ出して、信仰に縋っても。決して捨てられなかった想い。愚かしくも真実願うのは――たった一つ。

「あの人の……傍にいたい」

シルフィスの目から涙が零れた。

「……アルベルト様の傍にいたい。跡継ぎを産むためだけでも、コリンソン家を手に入れるためであっても。自ら望んだレオノーラお姉様を失ったその代わりであっても、いい。傍にいたいんです……」

この屋敷から逃げた時だって、きっとおそらく真実逃げる気はなかった。シルフィスはアルベルトが必ず追いかけてくることがわかっていた。だからこそ逃げられたのだ。心の奥底で彼に追いかけられるほど求められていることを……喜びながら。

「レオノーラ様の代わりだなんて、とんでもない！」

ファナがびっくりしたように叫んだ。

「アルベルト様が望んでいるのは、レオノーラ様ではなく、最初から最後までシルフィス様です！」

「――え？」

シルフィスは目を見開いた。そんな彼女にファナは部屋を示して言う。

「前にも言ったとおり、ここはアルベルト様がシルフィス様のために整えられた部屋です。この部屋の内装や調度品はシルフィス様のご実家の部屋とよく似ているのではありませんか？　でもそれは偶然なんかではないのです。ここはシルフィス様の部屋を参考に作られた部屋なのですから」

「私の実家の部屋を参考に……？」

「はい。お嫁に来られるシルフィス様が寂しくないように、少しでも心が休まるようにとアルベルト様が改装させて、調度品も新たに作らせたものなのです」

「アルベルト様が……？」

シルフィスは改めて部屋を見回した。初見でコリンソン家の自室かと一瞬勘違いしたほどよく似ている内装。あの内装はシルフィス自身が考えて父にお願いして作ってもらったものだった。そしてそのことをたわいもない話としてアルベルトに語ったことがあった。

もしかしてそれを覚えていて……？

「そしてシルフィス様、よく聞いてください。この部屋が作られたのは最近ではありません。二年近くも前のことなのです」

「二年……？」

シルフィスは混乱した。それではレオノーラと婚約する前にこの部屋を作ったということだろうか。この部屋を作るまではシルフィスを迎えるつもりで、その後気が変わってレオノーラに……？

ファナがもどかしそうに言った。

「言っている意味わかりますか？　アルベルト様が望まれていたのはシルフィス様です。レオノーラ様ではありません。あの婚約の話が広がる前も後も、私たちはアルベルト様からレオノーラ様を迎える話なんて一切聞いてはおりません」

「どういう……こと？」

「だから言っただろう。言わなければ伝わらないことがあるんだって」

突然口を挟んだのはロッシェだった。シルフィスが何か言う前に、ファナはもっともだと頷いた。

「ロッシェ様のお言葉に賛成します。シルフィス様、ちょっとお待ちください」

そう言うと、ファナは茶器をそのままに、足早に部屋を出て行った。戸惑うシルフィスを残して。どういうことかとロッシェを見ると、訳知り顔の彼はシルフィスに優しい笑みを返して言った。

「僕はね、レオノーラとの婚約成立の噂を聞いた時、ありえないと思ったよ。それに、君はいなかったから知らないだろうが、一年前のこのディーステル家のパーティで、婚約の発表はなかった」

「だから噂だけが先行して、婚約の実体はなかったということさ」

「発表は……なかった？」

シルフィスはますます混乱した。正式に婚約が成立したと父親から聞かされたのは記憶にしっかりと残っている。あの言葉でシルフィスは間違いであってほしいというかすかな望みを打ち砕かれたのだから。それが……正式ではなかった？

ロッシェやファナから示されることと、自分が思っていたことの齟齬《そご》に、シルフィスは動揺した。一体何が起こっているのだろう。……いや、何が起こったのだろうか。

――ほどなくしてファナが戻ってきた。ヴォルフの手を引いて。

シルフィスは彼の姿を見て少し怯んだ。彼とは半年間同じ修道院に住む仲間として仲良くしてきた。信頼もしていた。だが、それはすべてまやかしで、自分を監視するために修道院にいたのだ。アルベルトの命令に彼はただ従っただけに過ぎないが、それでも未だに騙されたという思いをぬぐえないでいた。ヴォルフの方もシルフィスの複雑な気持ちを察しているようで、用がない限り近づいてはこない。だが、アルベルトの一番傍にいて何もかも――彼の気持ちを含めてすべてを知っているのは彼だろう。

「何かお聞きになりたいことがあるとか……」

目を伏せながら、ヴォルフはシルフィスに言った。聞きたいことは山ほどあった。けれどいざ尋ねようと思うと何から聞いていいのかわからず、結局は一番心に引っかかっていることが口から出ていた。

「アルベルト様が私ではなく、レオノーラお姉様を婚約者に望んだというのは……」

どうしてなのか、と続ける前に、弾けるように顔を上げてヴォルフが言った。

「望んでなどおりません！」

……思いもかけない強い口調と眼差しだった。

「閣下も私たちも、シルフィス様をお迎えするつもりでした。レオノーラ様との婚約の噂を聞いて、驚いたのはこちらの方です」

「ど、どういうことですか？」

「……反対にお尋ねします、シルフィス様。あなたはアルベルト様との結婚を厭《いと》われておられますか？　嫌だとお父上に言ったのですか？」

「え？」

今度はシルフィスが仰天する番だった。

「そんなことは言っておりません！　言うわけがありません！　初めて出会った時からずっと望んでいたのですから！　なのに、お姉様を選んだと聞かされて、私がどれほど……」

「閣下がレオノーラ様を望んだと、そうコリンソン伯爵は仰ったのですか？」

「そうです！」

その次の瞬間、ヴォルフの口から零れたのは聞くに堪えない悪態だった。いつも冷静な彼がこんなふうになるのは初めてで、シルフィスは目を丸くする。だがヴォルフはすぐにシルフィスやファナ、そしてロッシェの前だったことを思い出したようで、口をつぐんで頭を下げた。

「申し訳ありません。けれど、それはありえません。閣下が伴侶にと望んだのはシルフィス様です。レオノーラ様とのことはコリンソン伯爵の独断で行われたことです。その上、シルフィス様にそのようなことを言っていたとは……！」

ヴォルフは両脇の拳をぎゅっと握った。おそらくシルフィスの父親であること、ロッシェの伯父であることを考えてこれ以上悪く言ってはいけないと耐えているのだろう。

シルフィスはすべての混乱のもとが自分の父親にあることを悟った。何もかも嘘だったのだ。アルベルトがレオノーラを選んで要請してきたというのも、正式に婚約が成立したというのも……！

「……でも、どうして？」

涙を溜めながらシルフィスは問いかける。どうして父はそんなことをしたのだろう。なぜ……？

「……それは……」

ヴォルフは何かを言いかけたが、すぐに首を振った。

「私ではわかりかねます。それよりシルフィス様、お願いがございます。閣下を信じてここに留まってください。あの方にはあなたが必要なのです」

そう言ってからヴォルフはそっと目を伏せた。

「たった一人の後継者としてディーステル家を継ぐために、閣下は幼い頃から厳しい教育を受けてきました。このディーステルは国の防衛の要、この土地を守るのも、貴族たちを纏め上げるのも並大抵のことではありません。次期当主としての責任や重責がアルベルト様から次第に子供らしさを奪い、感情を表に出すことすらなくなっていきました。特に急死された先代様の後を継いでからは、若造だと侮られないようにするため更に感情を出さなくなり、厳しく冷淡になってしまわれた。心からの笑顔を見せることなど今ではほとんどありません」

ヴォルフのいつも冷静な表情が崩れていた。そこにあったのは、シルフィスにはわからない痛々しさだった。シルフィスは、乳兄弟として共に生きてきたヴォルフがアルベルトに合わせて、あえて感情を表に出さないようにしているのだと悟った。厳しく冷酷なディーステル家当主の傍仕えとしてふさわしいように。

「けれど、シルフィス様を前にした閣下は幸せそうに笑っていらっしゃいました。この先も死ぬまで続く厳しくて孤独なディーステル家当主としての人生に、あなただけが安らぎを与えることができる。あの方にはあなたが必要なんです。そのことを閣下もわかっています。だからあなたを無理にでも自分のもとに引き止めようとしているのです。あの方は決してシルフィス様の不利益になるようなことは致しません。むしろ……」

そこまで言ってヴォルフはしばし逡巡した後、言った。

「修道院のことも、私が話したことが閣下に知られるとお叱りを受けますが……お教えします。あのような状態になっていたのは建て替えのためなのです」

「建て替え……？」

「ええ、ご存じのとおり、あの修道院は老朽化が進み、このままではいずれ危険な状態になります。今のうちに全面的な改修をするか建て替えをしないといけません」

「で、でもそんな資金は……」

「だからディーステル家がその資金を援助したのです。元々そういう話は出ていたのですよ。あそこは小さくても伝統ある重要な修道院で、領主としても朽ちるのを黙っているわけにはいかないのですから。修道院は貴族に余計な介入をされるのを嫌って今までそれを受け入れなかったのですが、このほどようやく実現したのです。工事のためにアルベルト様は近くに仮の建物を用意して、皆をそちらの方に移動させました。ええ、だからあの修道院は無人だったのです。マザーやシスター、そして子供たちも別の場所で元気に生活していますよ」

「……アルベルト様が……」

シルフィスの目から涙がぽろぽろ流れた。アルベルトは彼女たちに酷いことをしたわけでも、あそこから追い出したわけでもなかったのだ。修道院をよく思ってないのだとばかり思っていたのに！　それどころか救ってくれていた……！

「どうしてアルベルト様は言ってくださらなかったのかしら……？」

言ってくれればこんなに悩まなかった。そうすればもっともっと……！

ファナがシルフィスの手を取って苦笑しながら言った。

「アルベルト様はそういうことを口にする方ではありませんから。私たちにも余計なことは言うなと釘をさして、シルフィス様のことに心を砕いたことを少しも表に出そうとしないのです。そういう方なのです」

シルフィスはふとファナと初めて会った時にもこうして手を取られたことを思い出す。あの時荒れていた手は今は驚くほど綺麗になり、元の白さと滑らかさを取り戻していた。

「確かに厳しく、冷酷な部分もあります。でもそれはこのディーステルという家を、領地を守るため。けれど一度懐にいれた人間には驚くほど寛大です。そのことはシルフィス様もご存じでしょう？」

シルフィスは涙を流しながら頷いた。そう、それを彼女は知っていた。わかっていた。

……なのに、この一か月のことが目を曇らせてそれを見失わせてしまっていた。

アルベルトがシルフィスの両親や姉を害するはずはない。その必要もない。なぜなら、アルベルトはレオノーラを望んだわけではないのだから……！

その事実がじわじわと頭の中に浸透してきて、安堵とともに喜びに満たされた。けれど一年もの間、アルベルトがレオノーラを望んだという父親の言葉を信じて苦しんできたのだ。まだどこかで父親が本当に嘘をついていたのかどうか疑う気持ちをぬぐえなかった。

「あの、あの……本当に、アルベルト様は私を望んでくださっていたの？　私を選んでくださっていたの？」

涙を湛えながらおずおずと二人に尋ねるシルフィスに、ずっと傍観してきたロッシェが吹き出した。

「あのね、シルフィス。僕たちは今三人がかりでそのことをずっと言ってきたつもりなんだけどね」

「そうですよ、シルフィス様！」

「間違いありません」

ロッシェの笑い声にファナの呆れた声と、ヴォルフの冷静な声が重なった。

――アルベルトが望んだのはレオノーラではなかった。そのたった一つのことで、シルフィスの世界は色を取り戻した。

「アルベルト様」

シルフィスは、これから騎乗しようとする黒のテールコートを身に纏ったアルベルトに近づいて声をかけた。玄関前の広場ではアルベルトの部下や使用人たち、それに狩りに参加しようとしている招待客がそれぞれ馬に騎乗したり馬車に乗ったりしている。ヴォルフやロッシェの姿もあった。彼らはこれから近くの森に狩りに出かけるのだ。

シルフィスは参加しないが、これから出かけようとする彼らを見送りに出てきていた。

「どうかお気をつけて」

シルフィスはアルベルトを見上げて言った。淡く輝く金色の髪を後ろに撫でつけたアルベルトはその場の誰よりも精悍で誰よりも存在感があった。その姿を、ブルーグレイの瞳を、思いを込めて見つめる。

……本当はロッシェたちの話を聞いた後、アルベルトのもとに駆けつけてこの身を投げ出してしまいたかった。聞きたいこと、言いたいことがいっぱいあった。だが、アルベルトはこれから招待客を連れて狩りに行かねばならない役目がある。それはディーステル伯爵として大事な仕事だ。それを邪魔することはできなかった。

「ああ、留守を頼む」

アルベルトはそう言うと、騎乗しようと馬に向かった。が、ふと足を止めて振り返って近づいてくると、シルフィスの頬にそっと触れた。骨ばった大きな手がシルフィスの肌を優しく撫でる。その感触に心と身体が震えた。

「いい子で大人しく待っているんだぞ」

アルベルトはそう言って、うっすらと頬を染めたシルフィスが頷くのを確認すると、今度こそ馬に向かった。流れるような動作で馬に騎乗する。それを合図に、ヴォルフや周囲の兵士や貴族たちも続々と馬に乗り始めた。やがてアルベルトを先頭に開け放たれた門から次々と馬や馬車、荷車が出発していく。遠ざかるその姿を見ながらシルフィスは小さくつぶやいた。

「……待っています。今度こそ」

——もう逃げない。傍にいる。彼が望んでくれるなら、身も心も捧げよう。

シルフィスは玄関の扉の前で同じく見送りにきた何人かの客やファナと、最後の一人が見えなくなるまでその列を見送った。

「そろそろ戻りましょうか」

アルベルトたちが消えた方角をいつまでも見つめているシルフィスにファナが言う。彼女の方を振り返ってシルフィスは言った。

「ええ。でも、その前に会わなければいけない人がいるの」

——アルベルトの傍にいる。そう決めたことを、アルベルト本人以外で伝えなければならない人がもう一人いた。ライナスだ。レオノーラの恋人で、シルフィスを心配してここまで来てくれた彼にはきちんと話をしなければ。

「ファナ、申し訳ないけど、付いてきてくれるかしら？」

昨夜は幸い二人きりでバルコニーにいたことは誰にも見られなかったようだが、昼間だと誰に見られるかわからない。未婚で、しかも婚約者がいる身で男性と二人きりでいたと吹聴されても困るのだ。

ファナは、レオノーラの恋人と四阿で会うことになっていると告げると二つ返事で付き添いを引き受けてくれた。

「ええ、もちろん、付いてくるなと言われても行きます！　アルベルト様以外の男とシルフィス様を二人きりにするわけにはいきませんもの」

「ありがとう、ファナ」

二人は連れ立って庭園に向かった。


ディーステル家の庭園は広い。大きな屋敷を取り囲むように様々な趣の庭園が広がっている。シルフィスがよく行く裏門に近い花壇には色とりどりの花々が植えられているが、少し離れた場所に行けば植え込みで作られた大きな迷路があったり、噴水や小川が流れている場所もある。

その広い庭園の緑に囲まれた一角に、四つの支柱から成るドーム型の四阿が建っていた。

少し盛り土になっているのは、四阿の中からなるべく遠くを見渡せるようにとの工夫だろうか。白亜の大理石で作られたその建物には、屋根はあるが壁はなく、遠目からでも中の様子を確認することができるようになっている。そして今そこには誰かがいることを示すように、黒い人影がちらちらと支柱の間から覗いていた。

シルフィスは四阿から少し離れた、けれど中が確認できる場所でファナにここで待つように言って、建物に向かった。近づくにつれて、四阿の中で立っている人物がはっきりと見えてくる。赤銅色の髪——間違いなくライナスだ。濃紺の上着を羽織った彼は、四阿に入ってきたシルフィスに笑顔を見せた。

「来ないかと思ったよ。どうするか決めたのかい？」

「……はい」

シルフィスはじっとライナスを見つめた。明るい場所で見る彼は、夜の灯りの下で見た時以上に甘い端整な顔立ちであることが見て取れる。優しく誠実そうなその笑顔はさぞ多くの女性を惹きつけることだろう。けれど、シルフィスにとってはアルベルトのほんの小さな微笑みの方が心を惹かれるのだ。

「レオノーラお姉様の妹である私まで気に留めてくださってありがとうございます。ライナス様。危険を冒して逃がしてくださろうとしていることにも感謝しています。けれど、私は逃げません。このままディーステル伯爵様のもとにいたいと思います」

ライナスの顔が強張った。

「昨日、僕が言ったことを忘れたのかい？　彼はレオノーラを、君のお姉さんを殺したかもしれないんだぞ！」

「それは違います」

シルフィスは首を横に振った。昨日ライナスに聞かされたアルベルトに対する疑惑が脳裏を横切る。けれど、もうそれに揺れることも惑わされることもない。アルベルトを信じているからだ。

「アルベルト様は両親とお姉様の事故には無関係です」

「だが、厩舎に奴の使用人が」

「ここはディーステル伯爵家の館です。その厩舎にアルベルト様の使用人がいてもおかしくありません。むしろいない方がおかしいでしょう？」

それに両親とアルベルトが話し合ったことはおそらく父が勝手に流した婚約のことだろう。ライナスが言うようにレオノーラに恋人がいたことで呼び出したわけではないのだ。そうなると、ライナスが疑惑だと思い込んでいることの根本が間違っているということになる。……けれど、恋人であるレオノーラをアルベルトに強引に奪われた形のライナスがそう思い込むのも無理はない気がした。

おそらく誰かのせいにしないとやっていけなかったのだろう。この一年、事故を自分のせいだと思い、己を責め続けてきたシルフィスにはわかる。罪の意識を抱いて生きていくのは本当に辛いものだ。ライナスはあの事故の日、レオノーラのすぐ傍にいたのに両親に連れて行かれるのを止めることができずに、その結果、恋人を失くしてしまった。そのやり切れなさを、アルベルトのせいにして憎むことで自分を保とうとしたのだ。自分のせいだと思うより、他人の、誰かのせいにした方が楽だから。

「あれは悲しい事故だったのです、アルベルト様のせいではありません。誰のせいでもないのです」

シルフィスが静かにそう言うと、ライナスは俯いた。

「だからライナス様はそれに捕らわれる必要はありません。もうレオノーラお姉様はいないのだから。ライナス様はライナス様の幸せを……」

「ふっ、ふふ……アハハハハ！」

俯いたまま、いきなりライナスが笑い出した。ぎょっとしてシルフィスは口をつぐむ。

「そう、もうレオノーラはいない。あの忌々しい両親と共に土砂に流されていった。僕の希望と共に……だけど」

そう言葉を切ってライナスは顔を上げた。禍々しい笑顔を纏って。

「だけど、まだ君がいる。コリンソン伯爵家の相続人の、君がね」

「……え？」

「っ、シルフィス様!!」

ライナスが素早く懐から取り出したものでシルフィスの口を覆うのと、ファナの叫ぶ声が響いたのはほぼ同時だった。

「……んぅっ……」

シルフィスの口に押し当てられたものは白いハンカチーフだった。……そう、レオノーラがライナスに贈ったと思われる彼女のイニシャルの刺繍の入ったあのハンカチーフだ。けれど、そう認識したのと同時に、不意に頭がくらっとなった。目の前がだんだん暗くなってくる。

ハンカチーフに染み込ませた薬を嗅がされたのだと悟り、口からそれを剝がそうとしたがすでに遅かった。霞んでいく目の端に、こっちに駆け寄ろうと走ってくるファナが見えたのを最後に、意識が遠のいていき、やがてすべてが闇に沈んでいった。

——アルベルト様……!

「シルフィス様————!!」

——薄らいでいく意識の中で、最後に聞こえたのは、ファナの切羽詰まったような絶叫だった。

8　真実と償いの刻

パチパチパチ。

何かが弾ける音が聞こえたような気がしてシルフィスは目を覚ました。ぼんやりと薄目を開けてみるとあたりは仄暗く、見たことのない丸木の天井が広がっていた。どことなく気だるさを覚えることを訝しく思いながら、身を起こす。と、いきなり目の前がくらくらした。

めまいが収まるのを待ってシルフィスはあたりをぐるりと見回した。部屋の中は狭く、薄暗かった。木で作られた粗末な小屋のようなつくりで、あるのは同じく木で作られた小さな机と背もたれのない椅子、それから、今自分が横たわっている、板に布が敷かれているだけの、ベッドとも呼べないようなものだけ。明かりと言えば暖炉でパチパチと音を立てて燃えている火と、窓から入ってくる陽光だけだ。その光を見るに、まだ外は明るい時間帯のようだ。

……これは何、どうなったの？　ここはどこ？

額に手を当てて、考える。妙に頭の中がかすみがかっていてはっきりしなかった。確かディーステル家にいたはずなのに、どうしてこんなところにいるのだろう。パーティの二日目で、ファナと一緒に狩りに向かうアルベルトたちを見送って……。それからライナスと会うために四阿に向かって……。

ぎぃと軋んだ音を立てて、この部屋で唯一の扉が開いた。そこから入ってきた人物を見て、いきなり霧が晴れるようにシルフィスはすべてを思い出した。

「ああ、起きたんだね。気分はどう？」

ライナスはベッドに身を起こしたシルフィスを見てにっこり笑った。

「……なぜ……こんなことを……？」

嗅がされた薬の影響か、声が掠れていた。ああ、そうだ、自分はこの男に拉致されたのだ——ディーステル邸から！

「君をディーステル伯爵の手から救い出すためさ、もちろん」

ライナスは笑顔で答える。けれどシルフィスは騙されなかった。あの時も彼はこんな顔をしていた——嘲笑するような笑みを浮かべてシルフィスの口にハンカチーフを押し当てたのだ。あの時の光景が思い出される。レオノーラのイニシャルの刺繍が入った白いハンカチーフと、それが口を塞ぐように押し当てられた時の感触、目の前が急に暗くなったこと。そして最後に見た、血相を変えて駆け寄ってくるファナ。

シルフィスはハッとしてライナスに尋ねた。

「ファナは？　ファナはどうしたのです!?」

あの時近くにいて、おそらくシルフィスを助けようと駆けてきたファナ。今こんな場所に自分がいるということは……。

「ああ、あの侍女ね。君を連れ出そうとするのを邪魔したから、殴り倒しちゃったよ。あいにくと君を抱えていて手加減できなかったから、もしかしたら死んでるかもね」

こともなげに言うライナス。シルフィスの顔からさぁーと血の気が引いた。

「なんてこと……」

ファナは無事だろうか？　今生きているのだろうか？

「まさか君が一人ではないなんて思いもよらなかった。おかげで、予定が狂ったよ。本当は我が家に丁重にお迎えして事を進めるつもりだったのに、急がなければならなくなった。万一のことを考えてこの小屋を確保しておいて正解だったな」

一人悦に入ったように笑顔で頷くライナスをシルフィスは睨みつけた。そんな彼女を見てライナスは苦笑した。

「意外に気が強いみたいだね。だけど君が悪いんだよ。素直に僕と来ないから。ディーステル伯爵のところに残るだなんて言うから」

「なぜ、こんなことを？」

自分を連れ出すことが目的だったのかとシルフィスは悟った。あの時に言ったアルベルトへの疑惑もレオノーラとの話も何もかもが、シルフィスをディーステル伯爵家から連れ出すためのものだったのだと。

「あなたはレオノーラお姉様の恋人ではないの？　あれは……すべて嘘だったの？」

あの時語ったレオノーラの話も、彼女に対する想いも何もかも……？

「嘘じゃないよ。僕はレオノーラの恋人さ。綺麗で賢い彼女の心の弱さをわかってあげられる唯一の人間」

ライナスは笑顔で、まるで歌うように告げた。

「聡明だけど愚かで可愛いレオノーラ。そう、彼女は僕の妻となって僕にお金と伯爵の地位を与えてくれるはずの大事な恋人だった」

「お金と……地位……」

まさかという思いがシルフィスの心に湧き起こった。まさか……この人はお金とコリンソン伯爵位が目当てでレオノーラに……？

「僕にはお金が必要なんだ」

ライナスは悲しそうに微笑んだ。

「僕の父が事業に失敗してね、莫大な借金を抱えて他界してしまった。跡を継いだ僕は子爵としての体面は何とか保っているけど、位があるだけの貧乏でみじめな生活だ。わずかな領地は貧しく交通の要所でもなく、実入りも少ない。借金を返すあてなどないんだ。だったら、他の方法で手に入れるしかないだろう？」

他の方法――つまり、女相続人と結婚して、彼女の持つ財産と地位を我が物とすること。そしてレオノーラはコリンソン伯爵家の跡取りだ。彼女と結婚すればコリンソン家の豊かな土地と財産と伯爵の地位がその手に転がり込んでくる。ライナスはそれを狙ってレオノーラに近づいたのだ。

ライナスは思い出したのかくすっと笑った。

「レオノーラを手に入れるのは簡単だったよ。ああいう大人びた賢しいタイプの女性は表に弱さを出さない反面、その弱い心を誰かに支えてもらいたがっているものなんだ。彼女もそう。親の期待に応えて妹の面倒も見る賢い長女。それは彼女の誇りでもあるし、同時に重荷でもあった。僕がそれを指摘して、『君の気持ちはわかる。僕だけがわかっている。そんな君を支えてあげたいんだ』と言ったらイチコロだったよ」

笑うライナスをシルフィスは歯を食いしばりながら睨みつけた。重荷に思うのは当たり前だ。レオノーラはまだたったの十八歳――今のシルフィスと同じ年だ。そんなまだ親の庇護を必要とする年齢でありながら、女の身で親の期待に応え、その親に代わって妹の面倒も引き受けていた。重荷に思わないわけがない。時に弱音を吐きたくなることもあっただろう。それをこの男は騙すために利用したのだ。心の支えを欲しがっていたレオノーラの心の隙をついて！

シルフィスは笑いながらレオノーラを騙したことを語るこの男が許せなかった。

「レオノーラはね、君を羨ましがっていた。負う責任もなく、のびのびと自由に笑っていられる君が。恋した男性のもとへ嫁げる君が。そして自分もそうなりたいと思っていたんだ。それを僕が叶えてあげようとした。どこが悪いんだい？」

自分を射るような目で睨むシルフィスにライナスは可笑しそうに笑った。その微笑みは知らない人が見たらさぞ魅惑的に映ったことだろう。けれどシルフィスにはもはやそう見えなかった。それどころか最初に会った時にこのまやかしの笑顔を見破れなかったことを悔やんだくらいだ。

「だけど残念なことに、君のご両親——父親に反対されてしまった。二度と娘に関わるなと、コリンソン家は渡さないと言われてしまったんだ」

「当たり前です……！」

両親はこの男の正体に気づいていたのだ。シルフィスの中で点と点が繋がったような気がした。なぜ両親が二人の仲に反対したのか、なぜレオノーラを無理やりアルベルトの婚約者に仕立て上げようとしたのか。すべてはこのお金目当ての男からレオノーラを守るためだったのだ……！

シルフィスはアルベルトとの婚約を言い渡されてから、父と姉が何度も衝突していたことを思い出していた。あれはアルベルトとの婚約の話だけではなかったのだ。おそらくそこにライナスの名前が何度も出てきたのだろう。レオノーラは父が押し付ける婚約自体を疑ってもいた。それは本当のことなのかと。彼女は自分と恋人を完全に引き離すために父親がこの婚約を仕組んだのではないかと思っていたのだ。

そしてレオノーラは……レオノーラは……。シルフィスは胸の痛みと共に悟った。

レオノーラはライナスを信じていた。父親にお金目当てなのだと聞かされても、おそらくライナスを信じていた。初めて自分の弱さをわかってくれた人、支えてくれると言った人を、一途なまでに信じたのだ。シルフィスの知る姉は、聡明で、でもその反面とても頑固なところがあった。そのために父親と対立するのも辞さないくらいに。その彼女は恋人を信じることに決めたのだ。……もしかしたら自分が騙されていると思いたくなかったからなのかもしれない。けれど、あくまでライナスを信じようとするその態度は父にとっては脅威だっただろう。駆け落ちされるかもしれない。結婚を強行されるかもしれない。それ以前に娘が傷物にされるかもしれない。そうなったらライナスを追い払えたとしても、純潔を重んじる貴族社会でレオノーラの評判は地に落ちる。コリンソン家の名も地に落ちるだろう。それこそ父親にとっては避けなければならない事態だったのだ。

だからアルベルトとレオノーラを結婚させようとした。ディーステル家の名前はそれ自体が一種の強力なお守りだ。辺境伯に逆らう人間など多くないだろう。ライナスを追い払えるし、そうなればレオノーラも諦めると思ったのだ。

だが父親のもくろみはうまくいかなかった。アルベルトはレオノーラとの婚約を承知しなかったし、ライナスはよほどレオノーラの財産が魅力的だったのか、ディーステル家を恐れることもなく、この家のパーティに紛れ込んでレオノーラと接触したのだから。そして今また再びディーステル家に来て……。そこまで考えてシルフィスの背中にぞっと震えが走った。

……彼はなぜシルフィスの前に現れた？

「君の両親さえいなければすべてうまくいったものを。けれどレオノーラは不幸な事故で逝ってしまった。残念でならないよ。彼女さえ無事だったなら僕はすべてを手にできたのに。財産、地位、美しい妻。……だけど、彼女は宝物を残してくれた」

そう言ってライナスは手を伸ばし、身を竦めるシルフィスの褐色の髪のひと房を手に取ると、それに愛おしそうに唇を押し当てた。直接触れられているわけではないのに、シルフィスの肌がざわっと粟立った。

「君だよ。レオノーラに代わってコリンソン伯爵家を継ぐ君がまだ残っているじゃないか」

「は、放して！」

「レフォール伯爵がコリンソン伯爵の称号を受け継いだという噂があったから諦めていたんだけど、ふと気になって調べたらそんな事実はなかった。つまり、君を得られればコリンソン伯爵家は手に入るというわけだ。なのに今回もディーステル伯爵がしゃしゃり出てきて君を囲っていた。彼がレオノーラの事故に関わりがあると吹き込んで連れ出せば懐柔できるかと思ったけど……」

そこまで言ってライナスは眉を上げた。

「あいにくと思惑通りにはいかなかったようだね。おまけに君ってば侍女を連れてきてしまうんだものな。せっかく君の護衛を買収して遠ざけて、一人きりになるように仕向けたのに」

「護衛を、買収……」

シルフィスが庭に出ると必ず見張っていたあの人たち。シルフィスはライナスにどう告げようかとそれに気を取られていて、いつもだったらいるはずの彼らが姿を見せなかったことに気づいてもいなかった。だが、言われてみればそうだ。彼らがいつものように見張っていたならシルフィスはこんなところに拉致されることはなかったはずだ。

「ディーステル伯爵に対するシルフィスの疑惑を屋敷の者に口にするはずはないと踏んだのだけど、とんだ見込み違いだった。おかげで予定が狂ってこんな狩猟小屋で我々の結婚式を行わなければならないなんて……」

「結婚式、ですって!?」

「あの侍女が生きていても死んでいても異変はすぐに伯爵に伝わるだろう。だが、結婚してしまえば、もう伯爵にはどうすることもできない。君に関する権利はすべて夫である僕にあるのだから」

「何を馬鹿なことを！　私はあなたなんかと結婚しません！」

シルフィスは頭を振って彼の手から髪を払った。こんな話を聞かされて、シルフィスが自分と結婚すると思うだなんてどうかしている。

「それに神父様がいないのに、どうやって結婚などできるというのです？」

結婚は契約だ。神と証人と招待客の前で結婚宣誓書にサインをし、神父が結婚の宣言をして初めて夫婦と認められるのだ。ただ自分たちで結婚しましたと言っているだけでは何の意味もない。特に貴族はそうだ。その宣誓書を城の内務省に届けて王の許可印を得て初めて貴族の結婚は成立する。

けれどライナスは鼻で笑った。

「君は世間知らずだね。お金で動いてくれる聖職者はけっこういるんだよ。神父がここにいなくても後からサインさせればいいだけ。内務省の役人だって同じことさ。ああ、レフォール伯爵やディーステル伯爵はあれこれ言うだろうけど、結婚の実体があれば彼らだってもうどうすることもできやしない」

そう言ってにやりと笑うライナスにシルフィスはぞっとした。結婚の実体とはつまり夫婦の契りを交わすということだろう。アルベルト以外の男に触れられることを想像しただけで胃の奥から不快なものがせり上がってくる。

ライナスは、シルフィスのドレスの胸を押し上げている膨らみにいやらしげな視線を送って言った。

「レオノーラは、結婚するまではと身体を許してくれなかったけど、君はどうやら違うらしい。ディーステル伯爵と毎晩よろしくやっているようじゃないか。まぁ、僕としては生娘じゃないから気を使う必要はないし、あの辺境伯がどんなふうに君の身体を仕込んでいるのか興味あるよ」

シルフィスはその舐めるような視線から逃れるように胸を腕で隠した。婚姻前にアルベルトと閨《ねや》を共にしていることを知られたことに羞恥を覚えたが、それよりも、まるで舌なめずりをしているような彼の表情に恐怖を覚える。

「だが君の身体を味わうのは、結婚してからだ。まずはこれが先だ。さあ、来るんだ」

「嫌っ！」

ライナスは避けようとするシルフィスの腕を摑んで無理やりベッドから引き立てると、小さな木の机に引きずっていった。先ほどは薄暗くてよくわからなかったが、よく見るとその粗末な机の上には白い紙とペン、それに小さな瓶に入ったインクが置いてあった。ライナスは机の前の小さな木の椅子にシルフィスを無理やり座らせる。

「さぁ、これに署名するんだ」

ライナスが示すその紙にいやいや目を落としたシルフィスはぎょっとした。それは結婚宣誓書だった——記入済みの。ライナスのサインはおろか、神父の欄、聞いたこともない証人二人分の署名もすでに記してあった。空欄はたった一つだけ——花嫁の欄のみ。シルフィスはゾッとした。これに署名したら、結婚が成立してしまう……！

その欄を指さして、ライナスがにやりと笑う。

「これに署名したまえ。そうすれば我々はその時点から夫婦だ」

「……私が署名するとでも？　私の夫になるのはアルベルト様ただ一人です」

震える手を膝の上で握りしめてシルフィスは言った。

「強情だね。だけど署名しないとずっとここから出られないよ？　貴族のお嬢さんがこんな場所我慢できるのかい？」

「あなたと結婚するより遥かにましです」

ライナスはそこまで調べなかったようだが、シルフィスは傅《かしず》かれるだけで何もできない令嬢ではない。一年間、修道女見習いとして質素な生活をし、身の回りのことはすべて自分でしてきた。自給自足が原則の修道院では身に着けるものさえ、自分で作らなければならないのだ。そんな生活をしてきたシルフィスにとってここは我慢できない場所ではない。

他の貴族の令嬢はわからないが、彼女にとってはそんなのは脅しにもなりはしない。それに、シルフィスは確信していた。きっとアルベルトは自分を探し出してくれると。

　ライナスの口ぶりではここはそれほどディーステル邸から離れた場所ではないようだ。窓から差す日の光の様子からしても、拉致されてからそんなに経ってない。それほど遠くへは移動できていないはずだ。だったら必ずアルベルトは自分を探し出す。そんな確信があった。だから今の自分にできるのは少しでも長く時間稼ぎをすることだ。

　ライナスはやれやれと首を竦めた。

「手荒なことはしたくないけど……」

　そう言って、腰にさしてあったダガーナイフを鞘から抜くとシルフィスの喉元に剣先を突き付ける。暖炉の赤い炎をほのかに反射させて鈍く光る刃は鋭く、ほんの少し力を入れるだけで彼女の喉を簡単に引き裂くだろうことが見て取れた。シルフィスは息を飲み、身を震わせた。背中と額に嫌な汗が伝っていく。

「命が惜しければ署名するんだ。シルフィス」

「……いや、です……」

　歯を食いしばり、喉元にぴたっとあてられた切っ先を見ないようにしながらシルフィスは答えた。絶対に屈したくなかった。

「これでも？」

スッと刃が動いた。その切っ先がぷつりと音を立ててシルフィスの喉の皮膚を破る。チクンとした痛みの後、火を当てられたような熱い痛みが襲ってきた。そしてそこから何かがすーっと流れて落ちていくのを感じた。おそらく血だろう。剣先に傷つけられたところから盛り上がった血が筋を引いて流れていた。それでもシルフィスは是とは答えない。ただただライナスを睨みつける。

……怖くないと言ったら嘘になる。ドレスの下で足は震えていたし、叫びだしたいくらいに怖いし怯えてもいた。だが、それ以上に今のシルフィスを支配していたのは怒りだった。大好きだったレオノーラを騙し、亡くなった後も愚弄しているライナスが憎かった。だから、たとえどんなに痛めつけられようが、絶対に彼の思うとおりにはしたくなかった。

――神様……アルベルト様……！

彼の名前をまるで身を守るための護符のように心に抱きながらシルフィスは目の前の卑劣な男を睨み続けていた。シルフィスの黒曜石のような目と、チョコレートブラウンの瞳が交差し、息を詰めるような時間が過ぎ去っていく。やがて、ライナスが忌々しそうに舌打ちした。結婚宣誓書に署名させるためには命を取るわけにはいかないのだ。

「くそっ」

彼は悪態をつくと、手にしていたダガーを忌々しそうに机に突き刺した。そして突然のその行動にびくっと震えるシルフィスの腕を取って乱暴に椅子から引き上げる。

「来い！　ならその身体、奪うまでだ。結婚後のお楽しみにしようと思っていたが、気が変わった」

「いやっ！　放して！」

ライナスはもがくシルフィスを苛立たしげにベッドに引きずっていく。何もかもが少しずつ彼の思惑から外れだしていた。侍女に拉致する場面を見られた。そして夕べの弱々しい様子から簡単に屈するだろうと思っていたシルフィスは、予想外に強情で思い通りにはいかなかった。彼は焦っていた。すぐに連絡がいき、アルベルトが動き出すのは必至だ。その前に結婚を成立させないと彼の努力も、費やした金も無駄になってしまう。

シルフィスは腕を摑むライナスの手を外そうと暴れた。アルベルト以外の男に触れられるなど冗談ではなかった。

「いやっ、いやっ、……アルベルト様、アルベルト様！」

必死で彼の名前を叫ぶ。自分の唯一の人の名を。

「黙れ！　すぐにその口から僕の名しか出ないようにしてやる」

ライナスはシルフィスの身体をベッドに叩きつけた。硬いベッドに背中を強《したた》かに打ちつけられ、痛みのあまりシルフィスの息が止まる。硬直して一瞬抵抗を忘れたその身体にライナスが覆いかぶさってきた。

——その時だった。

ガシャーン――――!!

すさまじい音がして、この部屋唯一の窓のガラスを突き割って何かが部屋に転がり込んできた。

「なっ！」

シルフィスにのしかかろうとしたライナスは、慌てて身を起こす。それにつられるように、痛みを堪えて起き上がったシルフィスはそこに悠然と身を起こすヴォルフの姿を見て目を丸くした。

「な、なんだお前は……！」

「ヴォルフ!?」

ヴォルフはシルフィスの姿を目に留めてふっと顔を緩めた。

「ご無事ですか、シルフィス様」

――来てくれた……助けにきてくれた……！

頷きながらどっと胸に安堵の思いが押し寄せる。そんなシルフィスを後ろから温かな腕がそっと包み込んだ――。

ライナスは窓を突き破って侵入してきた男を見ると、とっさに机に飛びついて、先ほど刺したダガーを引き抜いて手にした。男とシルフィスの会話を聞いて、彼がディーステル伯爵家の者であると悟る。男には見覚えがあった。ディーステル伯爵の傍にいつも影のように付き従っていた男だ。ライナスは舌打ちした。彼が単独でここにやってきたとは思えなかったからだ。形勢不利とみたライナスはシルフィスを人質にしようと振り返り――そこに自分に突き付けられた剣先を見つけて仰天した。

「なっ……！」

剣の柄の先に、彼は信じられないものを見る。そこにいたのは、シルフィスを片手に抱きながら、手にした長剣をライナスの胸に突き付けている美丈夫――シルフィスの婚約者のアルベルト・ディーステル辺境伯その人だった。

アルベルトは剣をライナスの胸にぴたっと当てたまま淡々と告げる。

「これで終わりだ。私の女に手を出そうとしたこと、あの世で後悔するがいい」

ライナスは自分の目が信じられなかった。いつの間に彼はここに来たのだろうか。ライナスはちらりと扉に目をやる。そこは閉まったままだった。なのに、窓から侵入してきた男に気を取られた一瞬の間にどうやってここに入り込んだというのだろうか。それにどうやってこんなに早く自分たちの居場所がわかったのだろう。

忙しく部屋の中に目を走らせたライナスは、ふとアルベルトの背後にある違和感に気づいた。彼が背にしている暖炉の前の床の一部がめくれているのだ。……いや、めくれているのではない。それは床に作られた扉だ。人が一人通り抜けられるくらいの大きさの、四角く切り取られた隠し戸だった。

ライナスが見ているものに気づいたのだろう、アルベルトの口の端がかすかに上がった。

「ここは万一のことを考えて脱出用に用意された避難口の一つだ。この地下に秘密の通路があってディーステル邸に続いている。ここを隠れ家として選ぶとはあいにくだったな」

「だとしても……こんなに早く……ここが……」

喘ぐようにつぶやく。秘密の通路を使うにしろ、こんなに早く伯爵がこちらの居場所を摑むとは思いもしなかった。そんな彼にアルベルトは眉を上げた。

「ネズミが潜り込んだことに私が気づかないとでも？　お前の行動はすべて監視されていた。屋敷に潜り込む前からな。お前がここをうろついていたのも、とっくに把握済みだ」

「くそっ！」

ライナスはアルベルトに向かって手にしていたダガーを投げつけた。シルフィスを抱えた彼がそう自由に動けないと踏んでのことだ。だが、ライナスより遥かに実戦に慣れているアルベルトには、自分では荒い行いをしたことのないライナスの行動はまるで子供だましだったようだ。素早く剣を持つ手を翻してダガーを叩き落とすと、再びライナスに剣先を突き付ける——今度は喉元に。少しの乱れも隙もないその動きにライナスが怯んでいる間に、いつの間にか音もなく背後に忍び寄っていた男が動いていた。彼の両手を摑みひねりあげて後ろ手に回す。

悟った。

した結婚宣誓書。彼はその感触を頬に感じながら、自分の計画が潰えたことを絶望と共にたったのは木の感触ではなく、ごわついた洋紙だった。それはなけなしの金を払って用意にひねりあげられたままライナスは机に顔を押し付けられる。だが押し付けられた顔に当
　後ろを振り返ったり抵抗したりする間さえなかった。あっという間に拘束され、後ろ手
「うっ！」

　シルフィスは自分を抱きしめている手がアルベルトだとなかなか信じられなかった。魔法のようにいきなり現れたからだ。幻なのかと思った。だが、隠し通路のことをライナスに告げるアルベルトの言葉で、ようやくこれが現実の、本当のアルベルトであると知る。

「アルベルト様……」

　このぬくもりが本当であることを確認したくて、シルフィスはその胸に縋って頬を押し当てた。アルベルトはライナスが拘束されたことを確認すると剣を下ろして鞘に収め、自分の胸に顔をうずめるシルフィスの髪を撫でた。

「よく頑張った。怪我はないか？」

「……大丈夫です。喉に少し傷があるだけです」

　彼のぬくもり、彼の匂い、彼の手の感触。彼の声。五感すべてでアルベルトを感じ、安

堵と愛おしさに目を潤ませながらシルフィスは答えた。だが「喉に？」と、ライナスがつけた喉の傷を見るとアルベルトの様子が一変した。

机に伏せさせられているライナスに向けられたブルーグレイの目は冷たい光を帯び、なのに彼に向けるのは壮絶なまでの笑み——美しくも残酷な笑顔だった。

「ディーステル家の女に傷をつけるとはな。……気が変わった。お前には死よりも残酷な生を与えてやろう」

その笑みを向けられたライナスが青ざめて震える。それほどすさまじくも冷たい無慈悲な笑みだった。

「お前に殺された、彼女の両親、そしてレオノーラの分までな」

「……え？」

シルフィスはアルベルトの言葉にハッと顔を上げた。……ライナスに、殺された……⁉

「ち、違う、あれは事故だ……！」

震える声でライナスが訴える。だが、アルベルトは冷たく見据えたまま淡々と言った。

「半年近く前、レフォール領でならず者たちが捕まった。殺人、盗み、恐喝、人買い。金を貰えば何でもする連中だ。だが自分の命は惜しいと見えて、減刑を餌にしたらペラペラ喋ってくれたよ。……お前のこともな」

ビクンとライナスの身体が震えた。

「お前に雇われてコリンソン伯爵夫妻を襲ったことも告白した。もともとの筋書きはこうだったらしいな。ディーステル邸からの帰り道、馬車の車輪に細工をされた伯爵とその家族を乗せた馬車が立ち往生したところを物取りを装った連中が襲う。奴らはまず伯爵夫妻を殺す。そしてレオノーラにまでその魔の手が及ぼうとした時、偶然恋人を追ってきたお前が通りかかって彼女を救い出す。レオノーラは感謝し、お前の勇姿は称えられ、親に反対されていた恋人たちは結ばれる――と、まるで三文小説のようなくだらなさだな。計画自体もお粗末だ。お前がコリンソン伯爵の馬車の周りで不審な動きをしていたのを使用人たちが目撃していたよ」

あ、とシルフィスは思った。アルベルトの厩舎に彼の部下がいるのは当然のこと。……だがライナスは？　彼はなぜ厩舎に偶然……しかもコリンソン家の馬車が見える位置にいた？　……昨夜は動転していて気づかなかったが、彼が語ったアルベルトへの疑惑はそのままライナスへの疑惑に繋がる。

シルフィスはアルベルトの腕の中でぶるっと震えた。ライナスがそこにいた理由は明白だ……彼自身が馬車に細工をされていたと主張したのだから。ただし、それはライナスの手で行われたものだった。

「コリンソン伯爵の馬車がディーステル邸を出てからすぐ、お前が馬で屋敷を抜け出したのも門番が見ている。遠乗りだとか言ったらしいが、雨の中を遠乗りとは恐れ入るな」

アルベルトは冷笑した。

「あの日、お前の筋書きとやらは狂いっぱなしだった。まずコリンソン伯爵が泊まらずに急に帰ったことがその始まりだ。慌てて雇った連中に襲うように指示したものの、奴らは雨の中、馬車が動かなくなるのを待つのが嫌になって、さっさと仕事を終わらせるために予定より早く馬車を襲い始めた。コリンソン伯爵の馬車は追いかけてくる連中を振り切るためにあえて雨の中、危険な山道の方に向かった。普通の神経ならそんな進路は選ばない。平坦な迂回路を通るだろう。だが、それだと物取りたちに追いつかれてしまう。だから連中が諦めることを願って山道に入ったのだろう。だが……そこでお前が細工した車輪が思わぬ不運を呼んだ。猛スピードで走っている時に車輪が動きを止める、それがどんな危険なことかわかるだろう？　ましてや山道だ。馬車は大きくバランスを崩し、道を外れて崖から転落した。お前が慌てて駆けつけた時にはすべて後の祭りだ。お前は連中を怒鳴りつけたらしいじゃないか。これですべてが台無しだと。報酬もだいぶ値切られて、ならず者たちは不満だったそうだ」

「嘘だ、嘘だ、嘘だ！」

「まだまだあるぞ。お前は転落した馬車をたいして確認もしないうちにその場から立ち去ったようだな。その場ですぐ救助すれば助けられたかもしれないのに。だがお前たちはそうしなかった。崖崩れが起きたのはそのしばらく後だ」

「あれは事故だ！　僕のせいじゃない！」

そう叫ぶライナスの声が空しく響いた。シルフィスはアルベルトの腕の中でぶるぶる震えた。確かに直接手を下したわけではないかもしれない。だが、ライナスが原因で両親もレオノーラも命を落としたのは明白だ。すべてはライナスのせいだった。シルフィスが家族を失ったのも、すべて――。

「事故だと主張するわりには連中が捕まったと知ると雲隠れしていたな。領地にも戻らず、所在不明になっていた。……連中がお前のやったことを告白してしまうかもと恐れたのだろう？　だが数か月経っても捕縛の手は伸びてこなかった。だから安心して隠れていた場所から出て、次の金蔓《かねづる》を探し始めた」

シルフィスは聞いていられなくて耳を塞いだ。これ以降のことは聞かなくてもわかる。ライナスの言葉の端々に出ていたから。再び金蔓を探し始めたライナスはふとレオノーラの妹のことを思い出した。ロッシェがコリンソン伯爵位を継いだという噂が流れていたから用無しだとみなしていたけれど、気になって調べたらそんな事実はなかった。そうして伯爵位の相続権は依然シルフィスにあることを知ったライナスは今度は彼女を狙うことにしたのだ。だけどちょうどその頃、シルフィスはアルベルトのもとにいると情報が入る。ライナスはさぞ慌てたことだろう。アルベルトと結婚されたら、二度とコリンソン伯爵家は手に入らないのだから。彼はシルフィスとアルベルトの間に楔を打って、彼女を奪略しようと考えた。アルベルトにはレオノーラの時も邪魔されたような形になったから、意趣返しをしたいという思いがあったのかもしれない。そしてシルフィスは言葉巧みなライナスにあやうくだまされるところだったのだ。

「まぁ、いい。前の時は物証が乏しくてお前を捕まえることはできなかった。だが、今度はそういうわけにはいかないぞ。物証も証言もあることだしな」

そう言ってアルベルトはライナスの顔の下の結婚宣誓書を目で示した後、耳を塞いでいるシルフィスをそっと抱き上げて、ライナスを拘束しているヴォルフに言った。

「捕縛しろ。顔以外なら少々手荒なことをしても構わない」

「承知致しました、閣下」

そして暗い狩猟小屋をシルフィスを抱いて出る。薄暗いところから急に明るいところに出たシルフィスはそのまぶしさに目を閉じた。やがて目が慣れて薄目を開けると、驚くことにディーステル家の兵士たちが今出てきたばかりの小さな狩猟小屋をぐるっと取り囲んでいた。ライナスを逃がすまいとしてのことだろう。アルベルトの合図でシルフィスたちと入れ替わるように何人かの兵士が小屋に入っていく。

残りの兵士たちの間をアルベルトに抱えられて抜けながら、シルフィスはあたりをぐるっと見回した。そこには緑濃い森が広がっていた。

「ここは……どこなのですか？」

「ここはディーステル領にある森の一つだ。招待客を連れて行った森とは違うが」

その言葉にシルフィスはハッとした。アルベルトは招待客を連れて狩りに行ったはずだ。主催者としてこんな場所にいていいのだろうか。だがそのことを指摘するとアルベルトがこともなげに言った。

「ロッシェが私の代わりを務めている。心配はいらない。ああ、それからファナのことも心配するな。彼女は無事だ。倒された時に少し頭を打って切れているが、命に別状はない」

「本当ですか、よかった！」

シルフィスはファナが無事だと知ってホッと安堵の息を吐いた。これでもう何も心配することはないのだと思った。

アルベルトがふと足を止めて、腕に抱えたシルフィスを見下ろした。いつものように気難しげな表情と引き結ばれた口。けれどシルフィスはそのブルーグレイの瞳の中に気遣わしげな色があるのに気づく。

「すまなかった」

突然アルベルトが言った。

「あいつを捕まえるために、結果的に君を囮に使ったような形になった。すまない」

シルフィスは、ああ、と思った。アルベルトがライナスを監視していたのなら、シルフィスを拉致しようとしていることもわかっていたはずだ。監視役はあの実際の現場も見ていただろう。だが、シルフィスが拉致されるのを黙って見送ったのだ。決定的な証拠を摑むために。けれどシルフィスは囮にされたことに対して腹は立たなかった。

「あの人を捕まえるために必要なことだったのでしょう？　お姉様を騙して殺したあの人を捕まえるためなら、私は何度だって喜んで囮になります」

きっぱり言い切ったシルフィスにアルベルトはふっと微笑んだ。それはあの笑みだった。シルフィスだけに見せる心からの――。

「それでこそディーステル家の花嫁。私の選んだ――女だ」

「……アルベルト、様」

シルフィスの顔が不意にくしゃっと歪んだ。

「泣きたいなら泣け。今だけは」

「は……い……」

シルフィスはアルベルトの首に顔をうずめて、泣きだした。

……怖かった。ファナの無事もわからず、あんな狭くて暗い小屋にライナスと閉じ込められて、結婚を強要されて剣を突き付けられて。……悲しくて悔しかった。レオノーラが騙されたこと、あんな男を信じたまま逝ってしまったこと。そして恋しかった。優しかった姉が、厳しくてあまり傍にいてくれなかったけれど、自分を産み育ててくれた両親たちが——。

シルフィスはアルベルトの腕の中で泣き続ける。一年前、あの最も辛かった時に欲しくてたまらなかった人の腕の中で。そんな彼女をアルベルトは優しく慰め、いつまでも抱きしめ続けていた————。

9　交わる想い

「アルベルト様」

その日の夜。最後の客を送り出したアルベルトがシルフィスの部屋に赴くと、彼女はベッドに身を起こし、彼を待っていた。シャツとウェストコート姿のアルベルトはベッドに腰を下ろして、シルフィスの首にまかれた包帯にそっと触れる。

「傷は大丈夫か？」

「はい。大した傷ではなく、すぐに跡も残らず消えるそうです」

シルフィスは心配いらないと微笑んで言った。

——あの後、館に戻ったシルフィスにはすぐに医者が呼ばれ、招待客の世話をロッシェに押し付けていたアルベルトは狩りに戻って行った。その後もアルベルトは忙しく、安静を言い渡されたシルフィスも部屋から出ることを許されず、この時間になってようやく顔を合わせることができたのだ。

けれどその間、シルフィスには嬉しいことがあった。ファナが怪我を押してヴォルフの付き添いで顔を見せにやってきてくれたのだ。シルフィスなんかよりずっと重傷で、頭の包帯や腫れ上がった頬が痛々しかった。だが、ファナはどうしてもシルフィスの無事な姿を見たかったのだと言う。シルフィスとファナはお互いの無事な姿に安堵し合い、抱き合って泣きながら喜んだ。その際、少し心配そうに二人を見やるヴォルフが印象的だった。ファナに気遣わしげに、それでいて恭しく付き添う彼を見て、シルフィスは彼女の恋人が誰なのかようやく知った。

ロッシェもお見舞いに来てくれた。彼もアルベルト同様いろいろなことを知っていたようだ。

「言ってくだされればよかったのに」

「どうして言えようか。レオノーラを慕う君に、彼女が騙されて、おまけにあの事故がただの事故ではなかったかもしれない、レオノーラの恋人に殺されたのかもしれないなんて。それに知らないままの方が安全だったということもある」

シルフィスが知らなければ、ライナスもいきなり乱暴な手段は取らないだろうと踏んだらしい。そんなふうにシルフィスをライナスから守ろうとアルベルトと共にいろいろ動いていたのだという。

「詳しいことはアルベルトに聞けばいい。君が本当に知りたいのなら彼は教えてくれるだろう」

そう言ってロッシェは微笑んだ。おそらくまだシルフィスの知らないことがあるのだろう。だからシルフィスはアルベルトが自分のところに来るのを待っていた。何も知らされずにただ守られるだけなのはもうたくさんだった。

シルフィスはアルベルトに強い眼差しを向けて言った。

「アルベルト様。教えてください——もう逃げません。アルベルト様が私を望んでくださるのなら、私の持てるすべてを差し出します。私の……心も。だから教えてください。アルベルト様のお気持ちを。そして私に関わるすべてのことを」

アルベルトはじっとシルフィスを見つめた。そのブルーグレイの瞳で。まるで心をも見通すように。そこに何を見出したのか、やがて軽いため息をつくと言った。

「そうだな。最初から話そう」

アルベルトは、上半身をクッションに預けて話し出した。

「前にも言ったように、以前から早く妻を娶って跡継ぎを作るようにと王から縁談をしつこく勧められていた。だが、中央の干渉を受けないためにもこの地域の結束のためにも、ディーステル家当主の伴侶は近隣の貴族から娶るのが代々の習わしだ。父もその意志があったからコリンソン家の娘を私の花嫁にと望んだ。私も……それに倣うつもりだった。

だが正直に言えば、その時はディーステル家を次代に繋げるための結婚だと割り切っていたから、コリンソン家の娘であれば、君でもレオノーラでもどちらでもよかった。だから君と初めて出会った日、コリンソン伯爵と『コリンソン家のどちらかの娘を娶る』という誓約を交わしたんだ。……ああ、そう、あの日私がコリンソン邸に出向いたのはその用件だった。私はあの日、誓約書を持ってコリンソン家を訪れたのだよ。コリンソン家は娘のどちらかを私に差し出し、私は君たちのうちどちらかを花嫁に迎える。交わした誓約書はそういう内容だった。それがあれば王の縁談をかわせるからな」

シルフィスは目を丸くしていた。今までずっと父と先代との口約束だと思っていたのだ。ところがそれはアルベルトと父が交わした正式な約定だった。だからだったのだ——アルベルトが「コリンソン家の娘」にこだわったのは。アルベルト本人もいつか言っていたではないか。これは先代ではなくて、自分とシルフィスの父との約束だと。

「でも——それがそもそもの間違いだった。コリンソン家の娘のどちらかではなく君の名を記せばよかったのだ。だが……言い訳をすれば、その誓約書を作った時、まだ私は君に出会っていなかった。それに、私とコリンソン伯爵の間では君をディーステル家に迎えるという話になっていたんだ。それこそ……口約束だがな」

アルベルトは自嘲するように小さく笑った。

「君と出会い、本当はすぐにでも妻に迎えたいと思ったのだが、コリンソン伯爵が少なくとも一年は待ってほしいと言ってきた。君はまだ社交界デビューの前だったし、結婚するにはまだ少し早いと。デビューを楽しませてやりたい親心もあっただろう。私は承知し、一年半の猶予を設けた。そう、一年前のあの場で、本当は君との婚約を発表する予定だったんだ。その準備も整えていた。だが、その直前に突如としてあの噂が流れた。私とレオノーラの婚約が成立したという噂がな」

「……父が、流したのですね……？」

「ロッシェかヴォルフにでも話を聞いたのか？　ああ、そうだ。君の父上のコリンソン伯爵が流したものだった。私はヴォルフを遣わしてどういうことかと問いただした。その時伯爵はこう言ったそうだ――君が私と結婚したくないと言っている。だからレオノーラの方を差し出すのだとね」

シルフィスは仰天した。

「わ、私、そんなこと言っていません！　私こそあなたがレオノーラを選んだと聞かされて……」

ああ、だからヴォルフは今朝あんなことをシルフィスに尋ねたのだ。なんということだろう。父はシルフィスやレオノーラ、そしてアルベルト双方に嘘の理由を告げていたのだ！

アルベルトは手を伸ばして宥めるようにシルフィスの頬を撫でた。

「ああ。今はわかっている。だがその話を聞いた当初は訳がわからなかった。約束が違うと言っても君の父上は、誓約書には娘のどちらかとあるから約定には反してないと言い張った」

「父は……あなたを謀ったのですね……」

シルフィスはそっと目を伏せた。父はシルフィスを差し出すと約束しながら約定を捻じ曲げ、土壇場になってレオノーラを押し付けようとしたのだ。しかもアルベルト本人に断りもなく、その話をさも本当のように噂で流した。父はその噂を流すことによってライナスを牽制しようとしたのかもしれないが、アルベルトが激怒して、コリンソン家を貴族社会から放逐しようとしてもおかしくなかったのだ。

アルベルトはすっと目を細めた。

「そうだな。侮られたと感じた。……だが、すぐにおかしいと思った。コリンソン伯爵の性格からすれば、たとえ君が結婚を嫌だと言っても私と無理にでも結婚させようとするだろう。それに今まで跡継ぎとして教育してきたレオノーラを簡単に私に差し出すと言ったのも変だと思った。それで何か別の理由があると思って調べたら、案の定、ライナス・オルクレールの存在が浮上した。借金だらけの口先だけの詐欺師のような屑だ」

「父親が事業に失敗したとか言ってましたが……」

「ああ、領地改革に失敗して借金を背負った。だが、それだけじゃない。あいつは楽しててっとり早く金を手に入れようと賭博に手を出したんだ。そして、更に借金を負った。自業自得だ。だが、あいつはあの容姿と口先のうまさでまたしても楽な方法を採ることにしたようだ」

それが女相続人と結婚することだった。そうすればその家のお金は手に入るし、土地も爵位も手に入れられる。そして彼はレオノーラに目を留めたのだ。美しく、更にコリンソンという豊かな土地と伯爵位の相続人であるレオノーラに。

「コリンソン伯爵はさぞ慌てたことだろう。あいつがレオノーラと結婚することだけは何とか阻止しなければならなかった。だから……目前に迫っていたコリンソン家とディーステル家の婚約を利用した。なりふり構っていられなかったのだろうな。だが私は君以外を妻に迎えるつもりはなかった。だからディーステル家のパーティで私はコリンソン伯爵と直接話して、ライナス・オルクレールのことはできる限り協力するが、レオノーラとは婚約も結婚もしないと言い渡した。あとは知ってのとおりだ……この屋敷を辞したコリンソン夫妻とレオノーラはあの事故に巻き込まれた」

そこまで言ってアルベルトはシルフィスを見て言った。

「ああ、君が気にしていたから言うが、夫妻は屋敷を辞する時に君を理由にしていたが、本当のところはおそらくライナスが屋敷に潜り込んでいたのを知ったからだろう。レオノーラと接触させまいと思って慌てて連れ帰ることにしたようだ。……もっとも私がこのことを知ったのも後からのことだが……。事故の状況があまりに不自然だったので、ロッシェと共に調べていくうちにあいつが客に紛れてここにいたことを知った。……完全にこちらの落ち度だ。すまない」

謝るアルベルトにシルフィスは首を横に振った。

「アルベルト様のせいではありません。あの人がすべていけないのです」

ライナスは正式な招待客の連れとしてこの屋敷を訪れたのだ。不法に侵入したわけではない。大勢の招待客がいる中で彼が紛れ込んだことを見抜くのは不可能に近い。ましてやアルベルトは彼の存在を知っていても、ここに直接乗り込んでくるとは思っていなかったのだ。今回のようにあらかじめ彼の侵入を知っていたのでなければ、対処できるはずがない。

「アルベルト様はできる限りのことをしてくださいました。私を、守ってくださっていたのですね」

ロッシェがコリンソン伯爵の爵位を継いだという噂もきっと二人が流したものだろう。ライナスの次の標的にならないように。半年前からヴォルフを修道院に送り込んだのも、もしかしたらライナスのことを警戒していたからなのかもしれない。ならず者たちが捕まってライナスが雲隠れしたのも半年前のことだ。偶然にしてはあまりにも符号が合い過ぎている。

「君は私のものだからな。自分のものを守るのは当然だ。……だが」

そこまで言って、アルベルトは天井を見上げてぽつりと言った。

「君は私と結婚したくないのだと……思っていた」

シルフィスは目を見開いた。

「まさか、そんなことはありません。あれは父が勝手に……！」

「だが確証はなかった。私は一緒にいて楽しい人間ではないし、冷酷だと言われているのも知っている。君が結婚に怖じ気づいたとしてもおかしくない。本当に君がそう父上に言ったのかもしれないと、そう思った。それで真偽を問おうと葬儀の後君に声をかけたのだが……君は逃げ出した。呼び出しにも応じず、挙句の果てに——修道院に逃げ込んで修道女になるという。そんなに私と結婚するのが嫌なのかと思った」

「……ち、違……」

シルフィスは愕然として両手で口を覆った。なんてことだろう……！　まさかアルベルトがシルフィスが逃げたのをそんなふうに思うだなんて夢にも思わなかった。

「私は激怒したよ。止めたロッシェたちに感謝するんだな」

アルベルトはシルフィスを見下ろす。そのブルーグレイの目に激情の焔を燻らせて。

「でなければ修道院から無理やり引きずり出して、この部屋に監禁していただろう。一歩も出さず、何も身に纏わせず、鎖で繋いで私だけを映すようにして、貪り続けただろう」

その叩きつけられるような激情に、奥底に封じ込めていた昏い情念が狂喜の声を上げた。ああ、自分はこれを待ち望んでいたのだ。彼に狂おしく求められることを！　アルベルトの言葉に応えるようにシルフィスの子宮がずくりと疼いた。彼に貪られたかった。……けれど、今はその前にこの誤解を解かねばならない。シルフィスはアルベルトの腕に縋って首を横に振った。

「逃げ出したのは、あなたが私ではなくてお姉様を選んだと思ったからです。そのお姉様の死の原因になった私は憎まれていると思ったから。あなたの私を見る目に、お姉様の影があるのが嫌だったからです！」

「私がレオノーラを選ぶことはありえない。君だけが欲しかった。でなければとっくにあの約定は破棄している。私がコリンソン家との約束にこだわったのは、それが君を縛る手段だったからだ。子供のことも。王の縁談云々は関係ない。子供を孕めば君は私から逃げるのを諦めると思った」

その言葉はまるで福音のようにシルフィスの胸に響いた。だが、まだわからないことがある。

「……では、なぜ償えなどと言ったのです？　私はお姉様を失わせたことを償えと言われたのかと思って、とても辛かった……」

「そうだな、君がそう思っていることはわかっていた」

アルベルトはシルフィスの髪に手を入れて、指で梳きながら言った。

「だがあれはレオノーラのことではない。失ったものとは、私の妻になるはずだった君のことだ。君の父上と私から逃げようとした君自身に、私は望んでいたものを奪われた。それを償えと言ったつもりだった。……とはいえ、君がそう受け取らずレオノーラのことだと思い込んでいるのは知っていた。私はそれを訂正せず、その罪悪感すら君の抵抗を封じるために利用したのだよ。……酷い男だと君は思うだろうな。だが、私は君を私に縛るために持っている手段をすべて使う。君の罪悪感も、君の身体に植え付けた快楽も、君の大事な修道院のこともな」

修道院と聞いてシルフィスはハッとした。そんな彼女を見下ろしてアルベルトはうっすら笑う。

「建て替えのことはヴォルフが言ってしまったのだろう？　告げるなと言ったのに、駄目なやつだな。君には妙に甘い」

シルフィスは慌てて言った。

「彼を叱らないでください。私とあなたのためを思ってのことなのですから。あの……修道院のこと、ありがとうございました。てっきりアルベルト様は修道院のことは気に入らないのかと思っておりました」

「君が修道女になどなろうとするからだ。神の花嫁？　冗談ではない。それに君が修道院のことばかり気にして帰りたがっていたのも気に入らない。だが、修道院自体に恨みがあるわけじゃない。むしろ感謝している。君を保護し、守ってくれていた。それに資金援助のことは前から話が出ていたことだ。それを、頑固にも貴族の介入を嫌がって渋っていたのを、君の名を出すことでようやく承知させた。君は自分たちの姉妹《シスター》で仲間だから君が関わるなら受け入れると。……君はシスターなんかではなく、私の婚約者なんだがな」

アルベルトは気に入らないとばかりに眉を上げた。だが、そう言いつつもそのことに腹を立てているわけではないようだ。でなければ自ら修道院に足を運ぶわけはない。

「それと、本当は結婚した後に見せるつもりだったが……」

そう言ってアルベルトはウェストコートのポケットから一通の手紙を取り出した。

「修道院長から君への手紙だ」

「マザーからの？」

シルフィスは受け取って少しためらった後、その手紙を開いた。目を通していくうちにシルフィスの目に涙が浮かぶ。

――マザーと、そして神父はシルフィスが何者か初めから知っていた。それなのに何も言うことなく、彼女を守ってくれていたのだ。

シルフィスが修道院に拾われて間もなく、アルベルトがヴォルフを遣わして彼女の身分を告げると共に身柄を引き取ると言ってきた。だが彼女たちはそれを断った。傷ついたシルフィスには心を癒す時間が必要だと思ったからだ。ロッシェに続いてマザーたちにもそう言われて、アルベルトは渋々それを受け入れざるを得なかったようだ。ただし、一年後には迎えにくるとしつつも、頻繁に様子を見にヴォルフを寄越していたらしい。名目は修道院の修繕の資金援助の話し合いのために。半年前からヴォルフが使用人として常駐するようになってからも、時折交渉は行われていたが、マザーたちはそれを断り続けた。けれど、約束の一年後を間近に控え、とうとうマザーたちは折れることになった。シルフィスの結婚式のために。

手紙にはこう結んであった。

『あなたのいるべき場所はここではないことも、いずれはその場所へ帰っていくこともわかっていました。けれど、それでも、あなたはいつまでも永遠に私たちの大切な姉妹《シスター》です』

「マザー……」

シルフィスは手紙を抱きしめた。

「修道院の建て替え事業はディーステル伯爵夫人――つまり君の名前で行われる。それが彼女たちの希望だ。結婚式も新しい聖堂で行われる予定だ。神父に式をあげてもらい、修道女たちも孤児院の子供たちも聖歌の歌い手として出席する。……何か異議はあるか？」

「ありません……！」

シルフィスは泣きながらアルベルトの腕の中に身を投げ出した。

こんなに嬉しいことはなかった。修道女見習いとしてではないが、みんなとまた会える。みんなの気持ちが嬉しかった。それに何よりアルベルトがこんなに自分のことを考えてくれているのが嬉しかった。彼の気持ちを信じられず、彼と向き合うのを恐れて逃げ出したのに……。

あの時のことを思い出し、シルフィスは嬉し涙を流しながらも暗澹たる思いが胸に押し寄せるのを感じた。自分がアルベルトにふさわしいとは思えなかったからだ。シルフィスは涙を払って、アルベルトを見上げた。

「……アルベルト様。私でいいのですか？　私はコリンソン家の責任を放棄して逃げ出してしまったのです。本当なら家を守っていかなければならないのに」

「コリンソン家を背負う必要はない。君は私のことだけ考えていればいい」

シルフィスの髪を撫でながらこともなげにアルベルトは言った。でもシルフィスは首を横に振る。そんなふうに大切に思ってもらえる価値が自分にあるとはどうしても思えなかった。なぜなら——。

「……わ、私はとても醜いのです！　葬儀の時、もうこれであなたをお姉様に取られなくて済むと思ってしまったのです。心の奥底では大好きな姉の死を喜んでいる——そんな心の醜い女なのです！」

両手に顔をうずめる。たとえ一瞬でもそう思ってしまったことは消せない。それどころかあの昏い想いはずっとシルフィスの心の奥底でくすぶっていたのだ。

「なんだ、そんなことか。気にする必要はない。私のことをそれだけ思ってくれていた証だ。それに……私の方がもっと酷い。私は一瞬どころか君の両親が亡くなったと聞いて喜んだぞ？　今もそうだ」

シルフィスはハッとして顔を上げた。そこには、苦笑いのような表情を浮かべたアルベルトがいた。

「……アルベルト様？」

「これで邪魔者はいなくなったと思った。宣誓書を盾にレオノーラとの結婚を迫られることもないし、後見人になるのはロッシェだから君を手に入れるのに何の障害もなくなると。レオノーラのことは残念だったが、君の両親に関してはそうじゃない。今もな。……酷いだろう？　こんな私に君は幻滅するか？」

シルフィスは少し考えて首を横に振った。悲しいが、アルベルトがそう思うのも仕方ないと思った。父のしたことは背信行為にも等しい。それに今この場でそれを言ったのはシルフィスの気持ちを少しでも軽くしようとしてのことだろう。

不意に顎を掬い取られ、仰向かされた。

「本当か？　だったら尋ねるが、もし万一、君の両親を私が殺したとしても、君はそれでも私の傍にいることを望むのか？」

ブルーグレイの瞳が心を見透かすようにシルフィスをじっと見つめていた。シルフィスはその目に魅入られたように見とれた。

彼は両親を殺してなどいない。シルフィスからレオノーラたちを奪ったのはライナスだ。なのに、今ここでそれを問いかけたのは……きっと彼女の心を試すためだろう。どんなことがあろうと彼についていく覚悟があるかどうか問いかけているのだ。……そんな必要はないのに。脳裏に浮かぶのは昨夜この腕の中で思ったこと。——たとえこの腕が両親とレオノーラを奪ったとしても、それがコリンソン家を手に入れたいためでも構わない。傍にいられるのならば、共に在れるのならば——そう思ったはずだ。真相を知った今でもそれは変わらない。彼が望むならどこまでも一緒に堕ちよう。

シルフィスはアルベルトを見上げてはっきりと口にした。

「構いません。あなたと共にいられるのなら。その手がたとえ私の両親の血にまみれていようとも。だからお傍にいさせてください」

「……ああ、ようやく私に堕ちたな、シルフィス」

アルベルトはうっとりと笑った。そのどこか愉悦を含んだ陶然とした笑みは、大好きなあの日差しのような微笑みではない。けれど彼の心からのもので、シルフィスの心を揺さぶった。心臓がドクドクと高鳴り、子宮が疼く。トロリと何かが零れ落ちていく。

「それでこそ、このディーステル家の花嫁。私の選んだ伴侶」

アルベルトは囁きながらシルフィスの唇を指で撫でる。その感触に彼女は身体を戦慄かせながら、覆いかぶさってくる彼に応えるように目を閉じた。


「指が溶けそうだ」

シルフィスは四つん這いになりお尻を高く上げて、アルベルトに差し出していた。その彼女の蜜口を、彼が悠然と指で犯す。三本もの太い指を受け入れたそこはぐずぐずに溶けてひくつき、溢れた蜜は内股を伝わって、シーツを汚していた。

「……あン、ん、んっ、アル、ベルト様ぁ……」

「腰が動いているぞ」

ゆっくりとした抽挿に焦れて、シルフィスの腰が指の動きに合わせて揺れ動く。その指をもっと奥の感じる場所に引き込もうとするように。けれど意地悪な指は快感を求めるシルフィスをかわしてしまう。そのくせ、不意に壁をこすって彼女を身悶えさせるのだ。

「あ、ん、だって……もう……」

もうどのくらいこうして弄られているだろう。最初は服を剝ぎ取られ、全身、至る所に優しくキスされた。時折ちくりと強く吸われては肌に烙印を押される。それがシルフィスには嬉しい。彼のものだと刻まれるのが誇らしかった。けれど、その全身を覆うキスに手の愛撫が加わり官能が高まると、次第にそれだけでは足りなくなってきた。それなのに、傷に障らないようにと、繊細でゆっくりとした手つきは変わらない。じれったいほどに。

その手に時間をかけて胸の膨らみを散々弄られたせいで、その頂は痛いほど張りつめている。手と唇で解され、こねくり回され、歯を立てられ、信じられないことにそれだけで軽く達してしまったのだ。今も散々いたぶられたその先端はじんじんと痛みと熱を発し、シルフィスの腰が動くたびに揺れて、たったそれだけで刺激されて快感を送り込んでくる。更に、時々からかうように尖ったそれを指で摘まれてはたまらない。

けれど、長らく彼はシルフィスが一番望んでいる場所には触れてこなかった。涙ながらに懇願してようやく蜜を溢れさせたそこに触れてもらったものの、じらすようにゆっくりで、差し込まれた指も望んでいる奥には戯れにしか触れてこない。一本、二本、三本とゆっくり増やされていってもそれは変わらず、シルフィスは気が狂いそうだった。

「お願い……お願い……もっと強く。アルベルト様」

指の動きに合わせて腰を淫らに揺らし、シルフィスはアルベルトを誘った。一か月前まで、神に仕える身だったとは思えない淫猥な自分の姿態に、頭の片隅で羞恥を覚える。けれどこれがアルベルトの望みであることもすでにシルフィスは知っていた。理性を失くし、貪欲に、淫奔に自分を求める彼女を見たいのだ。だからシルフィスはアルベルトにすべてを晒しながら淫らに振る舞う。

「もっと……もっと、奥に……！　ううん、指じゃなくて、アルベルト様を下さい……。その太いもので、私をメチャクチャに、して……！」

熱に浮かされたように懇願する。アルベルトが欲しかった。彼の脈打つ怒張を自分の中で感じたかった。だが、アルベルトは指でくちゅくちゅと胎内をかき混ぜながら首を振った。

「まだ駄目だ。もっと快感に狂え。そうすれば孕みやすくなる」

「んぅっ、は、孕み……？」

喘ぎながらぼやけてくる思考の中でシルフィスが尋ねると、アルベルトが背後でくっと笑った。

「ロッシェの受け売りだがな。快感を得れば得るほど孕みやすくなると言っていた。君には最低二人は産んでもらわねばならない。ロッシェと約束したのでな。最初の男子にディーステル家を継がせ、次男か長女にコリンソン家の爵位を継承させると。そうすればコリンソン家の名は残るだろう？　だから二人は必要だ……最初が女子ばかりならもっとだな。だから早ければ早いにこしたことはない。結婚前でも構わないぞ」

「ああっ、ん、んっ、だ、駄目ですっ。結婚して、からですっ」

結婚式に大きいお腹を抱えてマザーや子供たちの前に出なければならないことを想像し

たらぞっとした。

「だったら、早く聖堂の建て替えが終わることを祈るんだな」

「んぅ、あンっ、だ、だったら、外に……」

子種を中に出さなければ妊娠を遅らせられるのでは。そう思って言ったシルフィスだったが、アルベルトに鼻で笑われた。

「外で我慢できるのか？　中に出されるのが好きなくせに」

「……あ……」

かぁっとシルフィスは全身を赤く染めた。だが、彼の言うとおりだ。散々彼の白濁の味を覚えさせられた胎内は熱い液を注がれるたびに絶頂に達するように躾けられていた。自ら中で出されるのを望むくらいに。だからもしそれが得られなくなるとなったら……きっと懇願してしまうだろう。今だってその熱を奥で感じたくてたまらない。

アルベルトはくっくっと再び笑った。

「聖堂の建て替えを急がせよう。運が良ければ腹が膨れる前に式を挙げられるだろう」

「あぁぁ、んっ」

胎内で折り曲げられた指に感じる場所を擦られて、シルフィスは背中を反らせた。もう我慢できなかった。

「あ、アルベルト様、お願い……入れてください」

首の傷が痛むのも構わず、シルフィスは顔を振り向かせ目を潤ませながら懇願した。

「私を犯して……壊れるくらいに……！　あ、あ、ああっ！」

ずるっと音を立てて指が引き抜かれ、背中に覆いかぶさってきたアルベルトの猛ったものに奥まで一気に貫かれる。

「あ、あ、あああっ！」

待ち望んでいたものにずんっと奥深くまで穿たれ、その衝撃にシルフィスは甘い悲鳴を上げて背中を反らせた。子宮に響くその振動が全身を揺さぶる。シーツを握りしめる指の先まで快感の波が押し寄せる。

「あ、あ、あっ、ん、ぁ……」

全身を震わせながら空気を求めて喘ぐシルフィスに、奥深くで動きを止めて締め付けてくる胎内を味わっていたアルベルトは笑った。

「入れられただけで軽くイッたか？　胸といい、ずいぶん淫乱な身体になったものだ」

「……ん、あ、アルベルト様、が、そうした、くせに……！」

ベッドに顔を伏せ、息を何とか整えながら、シルフィスは抗議する。散々彼女の身体に快楽を覚えさせたのはアルベルトだ。おかげで彼の最初の宣言通り、シルフィスの身体は彼専用に躾けられ、アルベルトなしには生きていけなくなった。すべて彼のせいだ。

「そうだ。私がそうした」

アルベルトが動き始める。太い先端が壁を擦り、襞を纏わりつかせながらゆっくりと抜かれ、再び突き立てられる。ぐじゅんと湿った音が響いた。掻きだされた蜜が内股を伝っていく。

「ああっ、あ、あ、んんっ！」

「快楽で縛って、逃げ出せないように躾けた。……けれどそれ以前に君とは身体の相性もいいようだ。ほら、こうして奥を突くと……」

「んあっ！」

アルベルトの剛直がずんっと奥に入り込む。そして奥深くに埋め込んだまま、戯れるように小刻みに突き上げる。深いところにある感じる場所を先端で何度も擦られ、シルフィスは身悶えた。

「……ぁ、んっ……や、やぁ……あ、あ、あ、ああっ」

「ちょうど君のいい場所に当たる。まるで私のために作られた身体だ」

その言葉通り、中に突き入れられた剛直は特に意識しなくても正確にシルフィスの深いところにある感じる場所に行き当たるようだった。何度も小突かれ、先端で擦られ、焼けつくような快感にシルフィスは全身を戦慄かせながら泣き声のような嬌声を上げた。すでに軽く何度か達している身で、こんなに責められてはたまらない。目の前がチカチカしてきて、背中をせり上がってくる快感の波に身を投げ出すしかなかった。

「あ、あ、あ、あああああっ！」

甘い悲鳴を上げながら、シルフィスはシーツを握りしめ顔を擦り付ける。彼を受け入れている蜜壷がきゅっと締まり、媚肉が彼の剛直に絡みつきながら締め付けた。

「……くっ」

彼の形に慣れた胎内は絶妙に蠕動《ぜんどう》して射精を促してくる。扱くような襞の動きに、アルベルトは歯を食いしばって耐えた。やがて、シルフィスが荒い息を吐き、身体が弛緩して解けてくるのを合図に、彼は再び腰を使いだした。

「……ひゃ、あ、やっ、だめっ……」

シルフィスは慌てた。達したばかりの身体は快楽の余韻を残し、敏感になったままだ。それが収まらないうちに、再び――今度は先ほどよりもっと激しい抽挿が始まったのだ。

「や、だめっ、待って、あ、あ、んぅ、んん、あンっ」

けれどアルベルトの動きは止まらない。それどころか、奥を激しく突いたり、突き入れたまま腰を回して胎内をかき混ぜたり、浅いところを執拗に擦りあげたり、緩急つけて彼女を責めたててくるのだ。シルフィスは涙を散らしながら嬌声を上げ続けた。

「あ、あ、気持ち、いいっ、んぅ、ん、あっ」

もう何が何だかわからなくなってきていた。思考は白く溶け、ただただ絶え間ない快感に翻弄されもみくちゃにされる。強過ぎる快感に膝がガクガク震えた。後から後から溢れ出てくる蜜がアルベルトの剛直に掻きだされてシーツに飛び散る。ぐちゅんぐちゅんと湿った音はいっそう激しくなり、シルフィスの耳を犯す。

　再び絶頂の波がすぐそこまできていた。アルベルトも終わりが近いようで、乱れかかる前髪を汗で貼り付かせながら、シルフィスを素早く激しく犯す。パンパンと激しく肌がぶつかる音が轟き、アルベルトの腰が何度も打ちつけられたせいでシルフィスの白い双丘はうっすらと赤くなっていた。それが更にアルベルトの劣情を誘う。シルフィスの腰を摑む手に力が入り、白い肌に指が食い込む。だがそれをシルフィスは痛みとは感じなかった。彼女が感じるのは襞を纏わりつかせたまま激しく抜き差しされる剛直と、それが生み出す快感だけ。頭が蕩けそうになるくらいに気持ちよかった。

　今までの交わりも溺れるくらいの悦楽を彼女に与えはしたが、今日はいつもと違っていた。今までは溺れていてもどこか罪悪感がつきまとい心を委ねることはできなかった。心のどこかでいつもこんなのは駄目だと戒める声があった。けれど罪悪感から解き放たれ、素直に心を預けられるようになった今は、触れられることが嬉しい。彼が自分の身体に欲望を感じていることが悦ばしい。そして心がそう思うことは肉体にも影響する。いつもより強い快感が襲ってきて、頭からつま先までさざ波のように広がっていく。

「あ、あン、あ、あ、んぅ……あ、い、イク……！」

「……く、イけ、何度でもっ」

よりいっそう打ちつけられる腰が激しさを増した。繋がった部分では掻きだされた蜜と先走りの淫液が白く泡立っている。目を覆わんばかりに淫猥な光景だった。それに煽られたようにアルベルトの剛直がいっそう膨張し、シルフィスの胎内を埋め尽くす。と、アルベルトの手が腰から離れ、シルフィスの顔の両脇に置かれた。お尻から背中までぴったりと重なり合いながら、覆いかぶさるように抉られる。

「ひっ、あ、あ、あああっ……！」

重さが加わった分深く繋がるようで、先ほどまでとは違う角度で更に奥を穿たれた。こつんと最奥に先が突き当たる。その子宮に通じる入り口を先端にぐりぐりと抉られて、シルフィスの目の前がチカチカして白く染まった。

「……ひ！　い、あ、あ、あああああっ、駄目、そこは駄目！　あああ、あ、あああ！」

口を開き悲鳴とも嬌声ともつかない声を上げて、シルフィスは絶頂に達した。

「……くっ」

ぎゅうと剛直を絞り上げ、狂ったように蠢く媚肉に、アルベルトは歯を食いしばる。シルフィスの最奥を抉る先端が更に膨らんでいく。

「……出す、ぞ。受け止めろ」

「あ、あ、……んぁ……」

「……くっ！」

シルフィスの耳元でアルベルトが籠った呻きを上げる。その直後シルフィスの胎内の剛直がぐぐっと膨らんで――弾けた。

「……あ!? あ、ひ、ぃ、ああああっ!」

シルフィスの子宮に熱い飛沫が打ちつけられる。その途端、彼女の背中がぶるっと震え、頤《おとがい》が反らされた。けれどその目の焦点は合ってはおらず、惚けたような虚ろな表情を晒していた。

「……くっ」

アルベルトは己の下でヒクヒクと身体を痙攣させる彼女の子宮に一滴残らず白濁を流し込む。彼女の膣は歓喜に震えながらそれを飲み干していった。

やがて喜悦の時が過ぎ、呼吸を整えたアルベルトはシルフィスに重さをかけないように身を起こして、彼女の中から己の剛直を抜いた。ぬちゃっと音を立てて引き出された肉茎はまだ硬度を保っており、蜜と白濁にまぶされヌラヌラと淫猥に光っている。それはまだ淫靡な交わりが終わったわけではないことを語っていたが、絶頂の余韻に未だ震えるシルフィスを抱きしめ、そっとひっくり返して仰向かせる手つきは優しく、焦りも劣情も感じさせなかった。

シルフィスの、汗で顔に貼り付いた髪を優しくかき上げ、そこに啄むようなキスを落としていく。額、頬、鼻、そして唇に。その優しいくすぐったいような感触に目を開けたシルフィスはそこにくすぶるような眼差しを注ぐアルベルトを見た。彼はシルフィスの手を取って、唇に押し当てる。

「私は過ちを犯した。一つは誓約書に君の名前を記さなかったこと。そしてもう一つは君に直接言わなかったことだ。そうしていればお互いお父上の嘘に惑わされることもなかったのに。私は傲慢にも、口に出さずとも、態度で君が特別だと示せばわかる、わかっているはずだと思っていた。だが今回のことで思い知った。言葉にしなければ伝わらないこともあるのだと。現に私は君の気持ちがわからなくなった。それまでは君は私に好意を抱《いだ》いているだろうと思っていたのだがな……」

「アルベルト様……」

シルフィスは涙を浮かべてアルベルトを見上げた。それはシルフィスも同じだ。いずれは彼に嫁げるという立場に胡坐をかき、彼に直接気持ちを伝えることはしなかった。そしていざアルベルトがレオノーラを選んだという言葉を聞かされた途端、今までの彼の特別扱いが意味のないもののように思えてしまったのだ。……ああ、そうだ。ロッシェの言うとおりだ。言葉にしなければ伝わらないことだってあるのだ。

「だから、もっと前から言わなければならなかったことを言う。今度は間違いのないように。……シルフィス。君を愛している。初めて出会った時から。コリンソン家の娘だからというのは関係ない。君だから伴侶に選んだのだ」

「アルベルト様……」

シルフィスの目から透明な涙が零れていく。

「私もです。アルベルト様。林で出会ったあの時から好きでした。ずっと、ずっと、逃げている時もあなたを愛し続けていました……！」

「……泣くな。笑っていろ」

アルベルトはそう言うと、シルフィスの涙を唇でぬぐう。

「もう悲しいことは終わりだ。これからは私が守ってやる。君を傷つける何もかもから。だから笑っていなさい。それがレオノーラたちへのはなむけになるだろう」

「はい……はい……」

シルフィスは何度もこくこくと頷き、泣き笑いを浮かべた。この状況を誰よりレオノーラが喜んでくれているだろうと思いながら。

再び優しいキスが落とされる。見上げると、あの春の日差しのような柔らかな微笑みを浮かべたアルベルトがいた。シルフィスはしばし見とれて、それから落ちてくる唇に目を閉じて応えた。

——もう償いは必要ない。

求められるまま口を開き、舌を絡ませ合う。引いていたはずの熱が戻り、身体の芯に欲

望の火が灯った。覆いかぶさってくるアルベルトの身体を手と足を開いて受け入れながら、シルフィスは脳裏に描いたレオノーラがあの最期の泥にまみれた姿ではなく、在りし日の笑っている姿であることに気づく。

その瞬間何かが自分の中で終わったことを知った。

……けれどその思いも、アルベルトの剛直に貫かれ、快楽の中に溶けていった。

——もう償いの調べは聞こえない。

エピローグ　真綿の檻

アルベルトは、うつぶせのまま気絶するように眠りについたシルフィスを見下ろした。先ほどまでアルベルトに蹂躙されていた身体はほんのり火照り、白い滑らかな背中に散らばったアルベルトの所有印とそこに乱れてかかる褐色の髪が艶めかしい図を描き出している。魅惑的な曲線を描く双丘の奥の密かな場所はしとどに濡れそぼち、先ほどまで彼を受け入れていた入り口はなおもひくつき、吐き出された白濁を零してシーツを汚していた。その淫猥な光景に、アルベルトは満足したにもかかわらず再び欲望を覚えた。何度吐き出しても足りない気がした。

だが、今はそれよりもやることがある。彼女に覆いかぶさりたい気持ちを抑え、アルベルトはシルフィスを起こさないようにベッドから抜け出して素早く服を身につけた。静かに扉の外に出る。そこには、ランプを手にしたヴォルフが立っていた。そしてもう一人

──壁に寄りかかって腕を組んでいるロッシェも。

「……見物に来たのか？」

アルベルトが尋ねると、ロッシェは組んでいた腕を外して笑った。

「まさか、そんな趣味はないよ。後のことは君に任せる。僕は大事な従姉妹の安全が確保されるなら文句はない。だけどこれだけは言っておくよ。あの子を傷つけたら承知しないからね。ただでさえレオノーラのことは想定外だったんだから」

ロッシェのにこやかに笑う目の奥に剣呑な光が見え隠れする。けれどアルベルトは眉を上げただけだった。

「元よりそのつもりだ。もうこの問題で彼女が傷つくことはないし、真実を知ることは永遠にない。私の庇護のもと、幸せに一生を過ごせるだろう」

「なら文句はないよ。それを確認したかっただけ」

「……お前は何も言わないんだな。自分の伯父のことなのに」

そのアルベルトの言葉に今度はロッシェが眉を上げる番だった。

「僕は何度も忠告したよ。君を怒らすなと。それを聞かなかったのだから、自業自得だよ。まぁ、命と引き換えに大事な家が守れたのだから本望じゃないの？」

「……食えない男だ」

「君には言われたくないね。その残酷な部分、シルフィスにバレないようにしてくれよ。

言いたいのはそれだけだ」

　それからつい今しがたの剣呑な光をきれいさっぱり消してロッシェはいつもの笑みを浮かべて言った。

「ああ、あと、君のその独占欲が多少おさまったら、そのうちシルフィスを連れてうちに寄ってくれ。妻が彼女に会いたがっているんだ」

「……わかった。奥方の臨月までには寄らせてもらう」

「頼んだよ」

　そう言うと、ロッシェは手をひらひらさせながら自分に与えられた部屋に戻って行った。

　それを見届けて、アルベルトとヴォルフは廊下を進み、人気のない暗い階段をおりて行く。いくつか扉を通り抜け、たどり着いた先は地下室――それも、屋敷の者でも限られた一握りの人間しか知らない秘密の部屋だった。代々ディーステル家にあだなす者を密かに葬ってきたその地下牢の一室に、ある男がいた。

「気分はどうだ？」

　アルベルトはその部屋に入り、後ろ手に縛られ、足を鎖で繋がれて転がされている男に淡々と声をかけた。地面に転がされた男はその声にのろのろと顔を上げる。猿轡《さるぐつわ》をはめさせられているが、男の顔はびっくりするほど綺麗で汚れはなかった。拷問も暴行も行われていない証拠だ。アルベルトの合図を受けて、ヴォルフが男の猿轡を外す。

男――ライナスは、アルベルトに何かを言おうとして、すぐに異変に気づいた。話そうとしているのに、その口から洩れるのはヒューヒューという音だけなのだ。何度も言葉を発しようとしてそれが叶わず、状況を悟ったライナスの顔から血の気が引いた。

「お前の喉は気絶している間に潰させてもらった。その口は余計なことしか言わないようだからな」

ライナスを見下ろすアルベルトの顔も声も冷ややかだった。

「お前の処遇をどうするか決めたよ。すべてを公にして正式に裁くのもいいが、それだとレオノーラの名誉が傷つくからな。そんなことになれば彼女もまた再び傷つくだろう。それは避けたい。だから、公にはしないで、ライナス・オルクレール子爵には病死してもらうことにした」

その意味するところを悟ってライナスの顔が引きつった。病死に見せかけて殺されるのだと思ったのだろう。だが、アルベルトはそんなに楽な結末を与えるつもりはなかった。

「心配するな。殺しはしない。言っただろう？　死よりも残酷な生を与えてやると。公には死んだことにするだけだ」

だがその冷たい口調は死より苦しい運命を与えると告げていて、ライナスはぞっと身を震わせた。そんな彼の上半身をヴォルフが乱暴に起こし、顔をアルベルトの方に向けさせる。何が始まるのかと戦々恐々とするライナスを見てアルベルトは冷笑した。

「レオノーラだけで大人しくしていればいいものを。馬鹿なやつだ。あのままどこかに消えて、二度と私たちの前に現れなければ、コリンソン伯爵とレオノーラのことは不問に付すつもりだったのに」

ライナスは目を見開いた。そんな彼にアルベルトは美しくも残酷な笑みを浮かべる。決してシルフィスの前では出すことのない、残忍で冷酷な支配者としての顔だった。

「邪魔者を消してくれたからな。おかげで自分の手を汚さずに済んだ。彼女を両親の血にまみれた手で抱くのはさすがの私も気が引ける。まぁ、レオノーラまで亡くなったのは予想外だったが、お前はそれなりにいい働きをしてくれたよ。だから不問にしようと思ったのに、こりずに私の女に手を出そうとするとはな」

ヒューヒューとライナスの口から音にならない空気が洩れている。彼が言いたいことを理解してアルベルトは嗤った。

「ああ、彼女の両親なのにと言いたいのか？　だが彼ら――コリンソン伯爵は私を謀り侮った。許せるわけがない。けれど、そのこと以上に許せなかったのは、彼らがシルフィスに私以外の男を宛てがおうとしたことだ。レオノーラを相続人から外せば、お前は今度はシルフィスに目をつけるだろうと危惧した伯爵は、そうなる前に自分の選んだ相手と彼女を結婚させようとしていたのだよ。実際、相手の選定に入っていた。だが、冗談ではない。あれは私のもの、私の女だ。それを邪魔する者はたとえ彼女の両親だろうが、父の友人だろうが関係ない。だから消えてもらうことにした。そしてそれにはお前の計画はうってつけだった。……ああ、不思議そうな顔をしているな。お前の命などいつだって簡単に奪えた。賭博に手を出していたんだ。トラブルに巻き込まれて命を落としても誰も不審に思うまいよ。だが、お前がコリンソン伯爵夫妻を消す計画を立てているのを知って、利用させてもらうことにしたのさ。……絶好の機会を与えてやっただろう？」

ライナスの顔が青くなった。彼は今自分がずっとアルベルトの手のひらの上で踊らされていたことを知ったのだ。

「すべては私がお膳立てしてやったものだ。でなければこのディーステル家に何の縁もない人間が簡単に潜り込めるわけがないだろう？　なのにお前ときたら、肝心なレオノーラを損なうとはな。お粗末過ぎて笑うに笑えなかったぞ。おかげで一年待たなければならなかった。それに問題もあった。彼女が事故は自分のせいだと思い込んだことだ。だから再びコリンソン家に目をつけたお前を利用することにした。姉と両親を殺した悪者《お前》からあわやのところで彼女を救い出し、感謝と愛を手にする――どこかで聞いた筋書きだがな」

アルベルトの顔が愉悦の笑みを刻む。

「礼を言おう。おかげでようやく彼女のすべてが手に入った。あのままでは罪悪感とやらで完全に私に心を委ねることはなかっただろう。だが彼女は真実を知り、罪悪感から解き放たれた。そしてお前の死と共にあの悲しい出来事は幕を閉じ、新たな人生をやり直す

——私の傍らで、私の腕の中で」

利用された怒りからか、一転して顔を真っ赤にしたライナスがヒューヒューと何かをわめいている。だがもはやアルベルトは気に留める様子もなかった。

「お前の出番はもう終わった。そろそろ退場願おうか。ああ、安心しろ、命までは取らん。ふさわしい場所を用意してやったからな。お前には借金があるのだろう？　子爵家とは別にお前が賭博で作った借金が。その賭博の胴元に話はつけた。お前のその身体を売って借金の返済に充てることになっている。貴族ではなくなったお前にあんな大金を返済する術はないからな。向こうは大いに乗り気だったぞ」

ざぁーっとライナスの顔から一気に血の気が引いた。自分のこれからの運命を思ってかガクガクとその身体が震えだす。そんな彼にアルベルトは冷たく告げた。

「せいぜいそのお綺麗な顔と身体で稼ぐんだな」

必死で何かを言い募るライナスを無視して、アルベルトは、その小さな部屋を出て行った。

アルベルトがシルフィスの部屋に戻ると、彼女はまだうつぶせで目を閉じていた。起こさないようにそっと仰向かせる。白い肌の至る所に赤い所有印が散っていた。そのひとつひとつを目で辿るアルベルトの視線がふとシルフィスの首元に注がれた。その白い生地に赤い色がぼんやり浮かび上がっていた。傷が開いたのだろう、包帯に少しだけ滲んだ血が痛々しい。だが、その血はアルベルトのために流されたもの。それを見る彼の心の中には暗い悦びしかなかった。

『私の夫になるのはアルベルト様ただ一人です』

あの時床下で聞こえた彼女の毅然とした言葉を思い出すと、今も心が震える。……こんな思いを抱かせるのは彼女だけだ。だからこそ求めずにはいられない。けれど欲深い自分はただ手にするだけでは足りないのだ。

ようやく完全に手に入れた愛しい女。身体だけでも、心だけでも駄目だった。彼が欲しいのは彼女のすべて。何よりも彼を愛し、純真で無垢なまま、それでいて自分と共にどこまでも堕ちてくれる彼女だ。

アルベルトは彼女の純真さに惹かれた。遠い昔に置き去りにした何かを思い出させてくれる彼女を。けれどアルベルトの手は汚れ、血にまみれている。これからも自分の前には血の道が続いているだろう。ディーステル家は綺麗ごとでは守りきれないのだ。

自分は彼女のように純粋ではいられない。彼女のあの無垢な手を取るにはあまりに汚れている。――だから彼女を堕とした。愛で心を縛り、自分のもとへと引きずり込んだ。

「……本当は、償わなければならないのは、私の方だ」

アルベルトはそっとつぶやいた。けれど後悔はしていなかった。自分には彼女が必要だ。

だが、この狂おしい執着をその身に受けるシルフィスはたまったものではないだろう。現に彼女は家族を失った。

だから——せめて彼女が笑っていられるように、真綿の檻を作ろう。

ふと彼の視線に気づいたように、シルフィスの長い睫毛が震えて、目が開いた。初めはぼんやりとしていた焦点が顔を覗き込んでいたアルベルトに合う。その途端、ふわっとその顔がほころんだ。

「アルベルト様？」

「ああ」

「……傍にいてください、ずっと……」

そう言うとシルフィスは笑みを浮かべたまま再び目を閉じて眠りの底に落ちていった。

アルベルトはその額にそっとキスを落として囁いた。

「大丈夫。傍にいる。……だからそうやってずっと私の腕の中で笑っていろ」

その笑顔を守るために、彼は血に染まることも厭わない。けれど彼女はそれを知ることはない。彼女の目の前に醜いものはいらないのだ。すべて排除する。

「……まずは夜会で君を侮辱するようなことを言った女どもだな」

彼はつぶやいた。その目に一瞬浮かぶのは冷たい光。けれども、笑みの残るシルフィスの寝顔に視線を落とす彼の顔には彼女の好きなあの微笑みが浮かんでいた。

純真なまま彼に堕とされた彼女。そんな彼女をアルベルトはその身に植え付けた快楽で縛り、愛で搦め捕り、真綿の檻に繋ぐ——彼女の目に映る世界が綺麗なままであるように。

——それが彼の、償い。

永遠に奏で続けられる、償いの調べ——。

あとがき

初めましての方も再びの方もこんにちは。拙作を手にとっていただいてありがとうございます。冨樫聖夜《とがしせいや》です。ソーニャ文庫から第二弾を出させていただきました。これには本人が一番びっくりしております。

さて、前作はコメディ調のお話だったわけですが、今回の話はうって変わってシリアスなお話です。乙女系としてはむしろこっちの方が王道かなと思います。誤解からすれ違う男女、執着を滲ませながら償いを求めて迫る男、などなど、目指せハーレクインと思いながら書いてました。もちろんお約束のハッピーエンドです。若干ソーニャ風にひねりが入ってますが……。

礼拝堂のシーンと最後の部分が書きたくて考えた話なので、ヒロインのシルフィスは修道女見習いという設定になりました。無垢さと純真さと清純さを表すように真っ白な服がデフォルトです。

ヒーローのアルベルトは辺境伯。現実の歴史にある辺境伯をモデルにしていますが、設定を少し変えています。この地方では王様みたいな立場のため、そのイメージで書いたら……すっかり偉そうな人になってしまいました。目指したのはクーデレなんですが、蓋を開けてみれば鬼畜になっていたという……。デレが分かりづらかったのが敗因でしょうか(多分違う)。彼は若造だと侮られないように感情を押さえて見せないようにしていますが、本来はとても激情家という設定でした。ネタバレを防ぐためにアルベルト視点をエピローグにしか出せなかったのが残念です。

イラストのうさ銀太郎《ぎんたろう》様。今回も素敵な絵をありがとうございました! キャラブフやカバーイラストを拝見させていただいてその美麗さに悶えました。先にアルベルトの黒とシルフィスの白のイメージを対比させているとお伝えしてあったのですが、それを見事にカバーに活かしてくださいました。本当に足を向けて寝れません!

そして最後に編集のYさん、今回もお世話になりました。何とか形になったのもYさんのおかげです。ありがとうございました!

それではいつかまたお目にかかれることを願って。

富樫聖夜

Sonya
ソーニャ文庫

この本を読んでのご意見・ご感想をお待ちしております。

◆ あて先 ◆

〒101-0051
東京都千代田区神田神保町2-4-7 久月神田ビル7階
㈱イースト・プレス　ソーニャ文庫編集部
富樫聖夜先生／うさ銀太郎先生

償《つぐな》いの調《しら》べ

2013年6月4日　第1刷発行

著　者　富樫聖夜《とがしせいや》
イラスト　うさ銀太郎《ぎんたろう》
装　丁　imagejack.inc
DTP　松井和彌
編　集　安本千恵子
営　業　雨宮吉雄、明田陽子
発行人　堅田浩二
発行所　株式会社イースト・プレス
〒101-0051
東京都千代田区神田神保町2-4-7 久月神田ビル8階
TEL 03-5213-4700　　FAX 03-5213-4701
印刷所　中央精版印刷株式会社

ISBN 978-4-7816-9508-2
定価はカバーに表示してあります。